LIBROS DE JEFF KINNEY:

DIARIO de Greg

FRÍO FATAL

Jeff Kinney

RBA
OCEANO

Título original: *Diary of a Wimpy Kid. The meltdown*
Publicado en 2018 por acuerdo con Amulet Books,
una división de Harry N. Abrams, Inc.

Diseño del libro, Jeff Kinney.
Diseño de la cubierta, Chad W. Beckerman y Jeff Kinney.
© de la traducción, Esteban Morán, 2018

© 2018, RBA Libros, S.A.
Avenida Diagonal 189, 08018 Barcelona
www.rbalibros.com

Editado por RBA Editores México, S. de R.L. de C.V.
Av. Patriotismo 229 piso 8, col. San Pedro de los Pinos
03800, Del. Benito Juárez, Ciudad de México

D.R. de esta edición, Editorial Océano de México, S.A. de C.V.
Homero 1500-402, col. Polanco
Miguel Hidalgo, C.P. 11560, Ciudad de México
www.oceano.mx
info@oceano.com.mx

Primera edición: noviembre de 2018
ISBN: 978-607-527-778-3

Impreso en los talleres de Litográfica Ingramex, S.A. de C.V.
Centeno 162-1, Col. Granjas Esmeralda 09810, Ciudad de México

Impreso en México/*Printed in Mexico*

A DEB

ENERO

Lunes

Todo el mundo ha salido hoy para disfrutar del clima templado y del sol que hace en el barrio. Bueno, todo el mundo excepto YO. Me resulta difícil disfrutar de una ola de calor cuando estamos en medio del INVIERNO.

La gente dice que "el clima está loco", pero a MÍ no me parece bien. Llámenme anticuado, pero lo normal sería que hiciera frío en invierno y calor en VERANO.

He oído que el PLANETA entero se está calentando, y que los seres humanos tienen la culpa. Pero a MÍ que no me miren, que yo sólo PASABA por aquí.

Si el mundo se CALIENTA, espero que no lo haga demasiado DEPRISA, porque al PASO que vamos, me veo montando en camello para ir a la escuela.

Dicen que los casquetes polares se están derritiendo y eso hace subir el nivel del mar. Por eso intenté convencer a mamá y papá de comprar una casa en lo más alto de la calle. Pero no parecieron interesados.

Me pone un poquito nervioso ser el único de mi familia a quien le preocupen estas cosas. Porque si no remediamos PRONTO la situación, seguro que nos arrepentiremos por no haberlo HECHO.

La subida del nivel del mar no es lo único que me pone nervioso. Esas capas de hielo llevan ahí millones de años, y podría haber cosas sepultadas en su interior que deberían PERMANECER así.

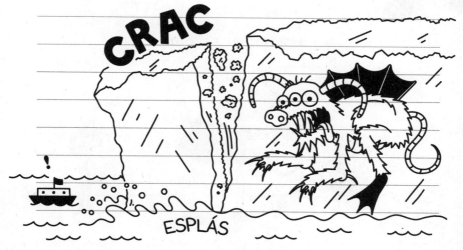

Vi una película sobre un cavernícola que se congeló. Cuando el hielo se derritió, miles de años más tarde, todavía estaba VIVO. No sé si eso podría ocurrir en la vida real, pero si hoy en día HUBIERA cavernícolas descongelados sueltos por ahí, el conserje nocturno de mi escuela bien podría ser uno de ellos.

PLOF

En el SUPUESTO de que haya una manera de poner fin a este caos climático, tal vez sea alguien de MI generación quien lo consiga. Por eso siempre me muestro amable con los chicos LISTOS, pues ELLOS nos van a salvar el pellejo.

¡GUSANO!

PAF

Cualquiera que sea la respuesta, les garantizo que la clave estará en la TECNOLOGÍA.

Los adultos siempre dicen que tanta tecnología resulta PERJUDICIAL para la gente joven, pero yo creo que cuanta más tecnología haya, MEJOR.

De hecho, en cuanto me pueda permitir uno de esos baños inteligentes que se aprenden todos nuestros hábitos, pienso comprarme el modelo más caro.

Hay gente a quien le preocupa que la tecnología se nos vaya de las manos y los robots se queden con el PODER.

Si fuera el caso, me aseguraré de estar de SU lado.

De hecho, me estoy PREPARANDO para cuando los robots manden. Por eso soy amable con los electrodomésticos de mi casa.

Así que cuando se desate la guerra total entre robots y humanos, me felicitaré dándome una palmada en la espalda por haberla visto venir.

Según mi hermano Rodrick, la gente del futuro llevará implantes robóticos en el cuerpo, y entonces todos seremos CYBORGS.

Bueno, espero que ese momento no tarde demasiado, porque si pudiera comprarme un par de piernas mecánicas, podría dormir media hora más por las mañanas.

Supongo que nadie sabe cómo será el futuro en realidad. Si nos preocupáramos mucho por ello, nos volveríamos LOCOS.

Y aun suponiendo que solucionemos todos los problemas actuales, surgirán otros NUEVOS y entonces tendremos que HACERLES frente.

He leído lo que les pasó a los DINOSAURIOS.
Tuvieron su momento de esplendor durante unos
doscientos millones de años, y entonces cayó un
asteroide y se los llevó a todos por delante.

Una locura: en aquella época ya existían las cucarachas,
y se las arreglaron para sobrevivir de ALGÚN modo. Y
seguro que seguirán aquí cuando nos hayamos
extinguido. Creo que son unos bichos desagradables,
pero ALGO deben estar haciendo bien.

PLAF

Hablando de SUPERVIVENCIA, ahora mismo trato de arreglármelas como puedo en la ESCUELA. Y los últimos días no es que hayan ido de maravilla.

Aunque afuera hace calor, el termostato de la escuela cree que es INVIERNO. Por eso la calefacción está conectada al máximo todo el día, y no hay quien se concentre en clase.

Y en la CAFETERÍA la cosa es peor, porque no hay ventanas que se puedan abrir para que circule aire fresco.

El calor me ha estado friendo los sesos, y de un tiempo para acá se me olvidan los plazos para entregar las tareas de clase. Hoy tuve un ENORME despiste con mi trabajo para la Feria Internacional.

En noviembre pasado, todos tuvimos que escoger un país y hacer un trabajo sobre él. Yo pedí Italia, porque soy MUY fan de la pizza.

Pero resulta que a mucha gente le interesaba Italia, así que mi profesora de Ciencias Sociales tuvo que sortear de manera aleatoria quién se la quedaba. Y el elegido fue Dennis Tracton, lo que no me parece justo porque tiene intolerancia a la lactosa y ni siquiera puede comer queso.

Así que la profesora me asignó Malta. Y yo no tenía ni la menor idea de que era un país.

Pero, claro, eso fue hace dos meses, y no había vuelto a pensar ni un segundo en mi trabajo hasta HOY. Y si lo recordé fue porque, al llegar a la escuela, todo el mundo llevaba puestos unos vestidos muy raros.

Debí haberme dado cuenta de que era el día de la Feria Internacional cuando mi amigo Rowley vino a buscarme por la mañana para ir juntos a la escuela vestido de aquella manera. Pero él SIEMPRE lleva cosas extravagantes, así que no me llamó la atención.

Ya en el salón de actos, le eché un vistazo al proyecto de Rowley para comprobar cuánto trabajo requería, y entonces casi me da un ataque.

Daba la impresión de que el trabajo le había llevado un MONTÓN de tiempo, y saltaba a la vista que sus padres lo habían ayudado. Claro, Rowley había ESTADO en el país que le habían asignado, y seguro que eso le había FACILITADO mucho las cosas.

Le rogué a Rowley que fuera buen amigo e intercambiáramos los países, pero es un poco egoísta y no aceptó.
Eso dejaba la pelota en mi cancha, y sólo disponía de unas horas para elaborar el proyecto entero desde el PRINCIPIO. Y tampoco sabía de DÓNDE iba a sacar un tríptico de cartón a esas alturas de partido.

Entonces recordé que tenía un tríptico en mi CASILLERO. Había empezado el proyecto al día siguiente de que me lo asignaran, para que por una vez no me ganara el tiempo. Pero cuando lo saqué para comprobar hasta DÓNDE había avanzado, me llevé una enorme decepción.

	Misteriosa **MAL**	

Estaba desesperado: ese trabajo representaba el 50 por ciento de la calificación de Ciencias Sociales. Busqué la ayuda de mis COMPAÑEROS de clase, pero ESO me hizo recordar que necesito unos amigos más listos.

A la hora del recreo me quedé en clase para centrarme en mi proyecto. No tenía tiempo de bajar a la biblioteca para investigar, así que tuve que hacer un montón de CONJETURAS. Mi única certeza era que Malta está cerca de Rusia, pero dudaba de todo lo DEMÁS.

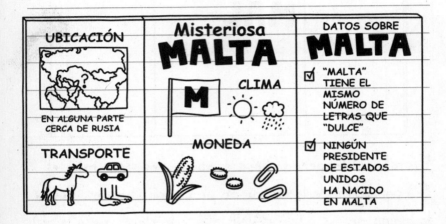

Una vez concluido el tríptico, comencé a trabajar en TODO lo demás.

Se suponía que debíamos llevar el "atuendo tradicional" de nuestro país, así que de camino al almuerzo tomé algunas prendas de Objetos Perdidos, enfrente de la oficina de la directora.

Por fortuna, había unas cuantas cosas decentes en la caja, y pude combinarlas en un conjunto que parecía muy convincente.

También se suponía que todos debíamos llevar un plato típico de COMIDA. En el almuerzo compré todas las cosas que pude pagar, y dispuse algunas de manera que parecieran procedentes de otro país.

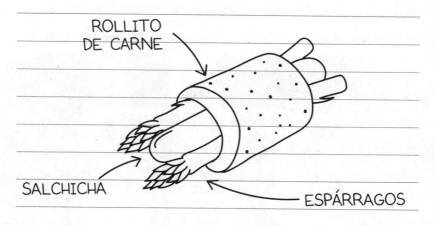

ROLLITO
DE CARNE

SALCHICHA

ESPÁRRAGOS

La Feria Internacional era a última hora, y cuando deposité mi tríptico en el gimnasio, me sentía muy satisfecho del trabajo que había realizado. Pero ojalá me hubieran encargado un país donde llevaran ropa más ligera, porque la calefacción todavía estaba a tope.

El calor también afectaba a los DEMÁS, y los ánimos estaban cada vez más encendidos. En un momento dado, Brasil y Bulgaria comenzaron a pelearse por el espacio en la mesa, y una profesora tuvo que intervenir.

Trajeron a unos chicos de primaria para que vieran nuestros trabajos e hicieran preguntas. Pero para que me ignoraran bastaba con fingir que yo sólo hablaba maltés.

Después, comenzaron a llegar los PADRES. Por suerte, los MÍOS no podían acudir, porque papá tenía que trabajar y mamá estaba en la universidad. Pero el padre y la madre de un chico de mi clase ERAN de Malta, lo cual era un problemón para MÍ.

17

Pensé que se iban a quejar de mí ante mi profesora. Estaba listo para fugarme. Pero entonces sucedió algo que afortunadamente me sacó del apuro.

La pelea entre Brasil y Bulgaria se reanudó y se extendió a los países que empezaban con la "C" y la "D". Y muy pronto todo el GIMNASIO estaba en guerra.

Por suerte, sonó la campana y las clases se acabaron antes de que hubiera daños personales. Pero no era demasiado optimista sobre la paz mundial.

<u>Martes</u>

Bueno, yo CREÍA que me había salvado, pero me equivocaba. Mi profesora de Ciencias Sociales le envió a mis padres una nota para avisarme que tengo que hacer el trabajo para la Feria Internacional OTRA VEZ.

Mamá dijo que no podía ver la tele ni jugar con videojuegos hasta que terminara. Con un poco de suerte, habré acabado para el sábado, pero no me importa. Eso es porque mamá se ha inventado los "Fines de Semana Sin Pantallas" para mí y mis hermanos.

Mamá cree que los chicos somos adictos a la electrónica, y que por eso nos portamos mal. Así que se ha inventado una nueva norma que no nos permite usar aparatos electrónicos los sábados y domingos, y tenemos que encontrar otra manera de entretenernos.

Lo que más me fastidia es que cuando mamá nos encuentra PORTÁNDONOS BIEN, cree que es la PRUEBA de que los "Fines de Semana Sin Pantallas" funcionan.

Así que de un tiempo a esta parte, Rodrick y yo tratamos de PORTARNOS MAL los sábados y los domingos, para que mamá no piense que su política antipantallas es acertada. Y MANNY también se suma, porque supongo que le gusta imitar a sus hermanos mayores.

Mamá dice que los chicos de hoy en día no sabemos interactuar entre nosotros, porque siempre estamos enganchados a las pantallas. Así que está haciendo prácticas conmigo y con Rodrick para mejorar nuestras "aptitudes sociales".

Una de las cosas que mamá siempre trata de hacer conmigo es que la mire a los ojos cuando hablo con ella. Puedo hacerlo durante un RATITO, pero al cabo de unos pocos segundos se vuelve demasiado inquietante.

La última obligación que mamá me ha impuesto consiste en saludar de mano a papá. Pero eso resulta vergonzoso para AMBOS.

Mamá quiere que me "diversifique" y que haga más amigos en el barrio. Pero yo ya soy amigo de ROWLEY y, por ahora, con él ya tengo más que suficiente.

Aunque hay montones de chicos en mi calle, no me veo siendo amigo de ninguno de ellos. YA siento como si estuviera haciendo una excepción con Rowley, y a partir de ahí el resto tiene cada vez menos posibilidades cuanto más nos desplazamos colina abajo.

Nuestra casa está situada en mitad de la cuesta de la calle Surrey, y la casa de Rowley está cerca de la parte más alta. A veces resulta penoso ir a VERLO, porque tengo que pasar delante de la casa de FREGLEY. Y, casi siempre, Fregley pasa el rato en el patio delantero.

Enfrente de Fregley vive Jacob Hoff, quien apenas sale al exterior, porque sus padres siempre lo obligan a ensayar con el clarinete. Y a uno y otro lado de Jacob se encuentran Ernesto Gutiérrez y Gabriel Johns, que están en mi salón.

Ernesto y Gabriel son buenos chicos y todo eso, pero AMBOS tienen mal aliento, así que resultan perfectos el uno para el otro.

David Marsh está dos puertas más abajo de la mía, y practica karate de verdad. Es el mejor amigo de Joseph O'Rourke, quien siempre está haciendo algo peligroso.

BOING

En la puerta siguiente a la de Joseph está Mitchell Pickett, que en invierno hace negocio vendiendo bolas de nieve prefabricadas. Y mucha atención a lo que digo: un día este chico será MILLONARIO.

Mitchell vive al lado de un chico más joven que yo, a quien todos llaman el Chichones. Pero la gente lo evita porque sus dos hermanos mayores ya están en la cárcel.

Hay un chico llamado Pervis Gentry que tiene una casita en un árbol en su jardín trasero y se pasa los veranos resolviendo los delitos que se cometen en el barrio. Claro que casi siempre el responsable es el Chichones.

Bajando la cuesta, hay un departamento doble, pero las dos familias que viven en él se ODIAN la una a la otra.

Nunca he sido capaz de llevar la cuenta de los chicos que viven en esa casa, pero sé que uno de ellos se llama Gino, porque lleva un tatuaje en un brazo, aunque apenas aparenta siete años.

Unas puertas más abajo, hay un muchacho que vive con su abuela y cuyo nombre es Gibson.

Todo el mundo lo llama Baby Gibson porque, por mucho tiempo que pase, nunca parece ENVEJECER. Por lo que sé, Baby Gibson podría tener treinta y dos años, y ser todo un PADRE de familia.

Hay un grupo de niños que se reúne para jugar dos veces a la semana en casa de la señorita Jiménez. No sé qué niños son SUYOS y cuáles son de sus AMIGAS. Lo único que me CONSTA es que están totalmente descontrolados, y que a sus mamás no parece importarles demasiado.

También hay algunos chicos mayores en nuestra calle. A Anthony Denard le queda un año para terminar la secundaria, y ahora empieza a afeitarse. Pero se le fue la mano con la cuchilla y por error se afeitó una ceja.

Anthony trató de disimularlo con un rotulador marrón, pero no lo hizo muy bien. Ahora la mitad de su cara tiene siempre una expresión de sorpresa.

El mejor amigo de Anthony es Sheldon Reyes, quien intentó ganar un dinero limpiando los senderos de los vecinos la primera vez que nevó este invierno.

Pero Sheldon aún no tiene permiso de conducir, y causó muchos destrozos en el vecindario antes de que su padre se enterara de que estaba utilizando su camioneta.

Algunas casas más abajo de la mía viven los gemelos
Garza, Jeremy y Jameson, quienes se inventaron
su propio lenguaje cuando eran bebés. Cuando
están juntos, nadie es capaz de comprender lo
que dicen.

GRUNT
CLIC
FIU

SMAC
SMAC
CLUC
FIU

También hay un montón de CHICAS en mi calle, y
son tan revoltosas como los CHICOS.

Las hermanas Marlee viven enfrente de la casa de Rowley, y las cinco se llevan muy poco tiempo. No sé qué les pasa, pero estas muchachas se dedican a atacar por sorpresa a todo el que entre a su jardín.

Emilia Greenwall vive unas puertas más abajo de las hermanas Marlee. Emilia siempre se disfraza de princesa, y creo que ha visto demasiadas películas de Walt Disney.

Latricia Hooks vive en la casa de una sola planta situada enfrente del departamento doble. Va en último año y mide un metro noventa. Rodrick jamás se ACERCARÁ a Latricia, porque cuando tenía MI edad ella solía abusar de él.

Por algún motivo, Victoria, la hermana de Latricia, está enamorada de Ernesto Gutiérrez. La mejor amiga de Victoria, Evelyn Trimble, se viste como una vampiresa.

De hecho, estoy seguro de que Evelyn cree que ES una vampiresa. Por cosas así me alegra no subir al autobús.

Todavía no he mencionado ni a la MITAD de los chicos que viven en mi colina. Pero si pongo la lista completa, empiezo y no ACABO.

Mamá siempre me pregunta por qué no soy amigo de ningún chico del PIE de la colina, aunque ya le he explicado un millón de veces por qué eso no va a pasar NUNCA.

La calle Surrey se divide en dos mitades. Está la parte ALTA de la calle, que es la cuesta de la colina, y la parte BAJA, que corresponde a la llanura.

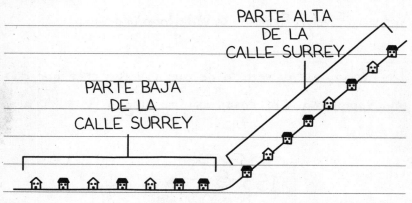

PARTE ALTA
DE LA
CALLE SURREY

PARTE BAJA
DE LA
CALLE SURREY

Aunque todos vivimos en la misma calle, los chicos de la colina y los chicos de la parte baja no se SOPORTAN.

Vivir en la cuesta no es muy divertido. En primer lugar, está muy lejos de la escuela, y el último trecho al final del día no es fácil. ESPECIALMENTE cuando hace calor, como sucede de un tiempo a esta parte.

Lo peor de vivir en una calle en una cuesta es que no puedes HACER muchas cosas en ella. ¿Quieres jugar a la pelota? Pues quítatelo de la cabeza.

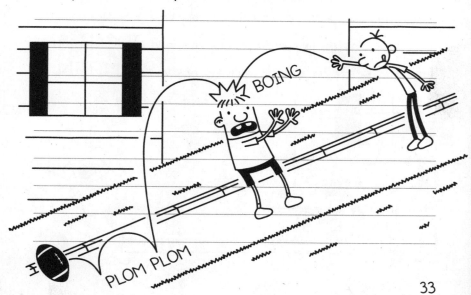

BOING

PLOM PLOM

En cambio, los chicos que viven ABAJO lo tienen
IDEAL. Su parte de la calle es PLANA, así que
pueden hacer de todo. Eso explica que todos los
deportistas procedan de la parte BAJA de la calle
Surrey.

Lo que pasa es que los chicos que residen al pie de la colina
creen que esa parte de la calle es SUYA. Y si algunos de
nosotros, los de la cuesta, bajamos para JUGAR allí,
los de la parte baja de la calle no nos lo PERMITEN.

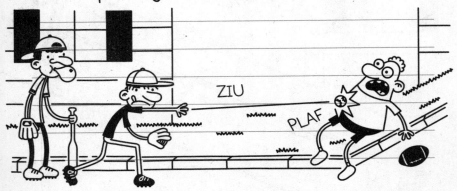

De hecho, si tardé cuatro años en aprender a andar en bici fue porque tenía que hacerlo en tramos de sólo cinco segundos.

Pero cuando NIEVA, cambian las cosas. De repente, todos los chicos de la parte baja de la calle Surrey quieren usar nuestra colina para DESLIZARSE en trineo, pero entonces les damos a probar de su propia medicina.

La mayor parte del tiempo mantenemos a los chicos de la parte baja de la calle fuera de la colina. Pero son ASTUTOS y a veces se las arreglan para pasar a nuestro territorio.

El invierno pasado, unos cuantos chicos de la parte baja de la calle Surrey se compraron ROPA como la de los chicos de la colina, y pasaron SEMANAS antes de que nos diéramos cuenta.

Si vives en la calle Surrey, o eres de la COLINA o NO lo eres, y no hay medias tintas.

Un chico llamado Trevor Nix vivía en la colina hasta el verano pasado, pero entonces su familia se mudó a una casa más grande situada en la parte baja de la calle.

Los chicos de la parte baja todavía consideran a Trevor un habitante de la COLINA y no le permiten jugar en la calle. Los chicos de la cuesta pensamos que es un traidor por haberse mudado y no lo dejaremos lanzarse en trineo este invierno. Muy en resumen, ahora Trevor tiene que permanecer recluido en su casa durante todo el año.

Entre los chicos de la parte alta de la calle Surrey y los de la parte baja reina la hostilidad. Y por eso no podemos ser amigos. Pero si intento explicarle la situación a mamá, ella no lo entiende.

De hecho, NINGUNA de las madres de nuestra calle lo comprende. Ellas son amigas y no tienen ni IDEA de lo que REALMENTE está sucediendo.

Últimamente, reina una calma tensa en nuestra calle. Nosotros, los de la cuesta, nos mantenemos en NUESTRO lado, y los otros chicos permanecen en el SUYO. Pero si alguien comete alguna estupidez, todo esto va a EXPLOTAR.

<u>Domingo</u>

La temperatura bajó quince grados durante el fin de semana, así que hoy mi familia salió en busca de nuestra mascota el cerdito.

En las vacaciones de Navidad, mi familia se fue de viaje y dejó al cerdito en una guardería para perros. Supongo que él pensó que debería haber venido CON nosotros, y no le hizo demasiada gracia que lo dejáramos atrás.

Cuando regresamos a CASA, el cerdo nos hizo partícipes de su malestar por no haber sido incluido en las vacaciones familiares.

Después de algunos días de pésimo comportamiento del cerdo, papá decidió que hasta ahí habíamos llegado, y lo envió a una "escuela de adiestramiento". Pero a la mañana siguiente recibimos una llamada de la señora que dirige ese lugar, y dijo que nuestro cerdito se había ESCAPADO.

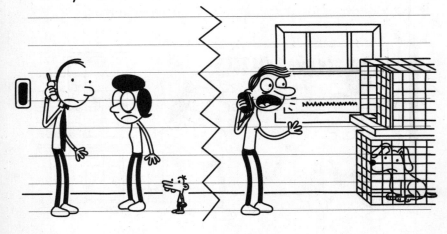

De un tiempo a esta parte hemos puesto carteles pidiendo ayuda para localizar a nuestro cerdo perdido, pero ese bicho es LISTO, así que no creo que esté EXTRAVIADO. Sencillamente no quiere que lo ENCUENTREN.

Me imagino que el cerdo estará HIBERNANDO en algún sitio. Mamá dice que los cerdos no hacen eso, pero si me lo preguntan a mí, creo que DEBERÍAN hacerlo.

Si yo fuera un animal, eso es EXACTAMENTE lo que ESTARÍA haciendo ahora mismo. Creo que todo el mundo debería enfundarse en sus pijamas el último día de otoño y desconectarse hasta la primavera.

Cuando era más pequeño INTENTÉ hibernar, pero no funcionó.

La Navidad me entusiasmaba MUCHO y, una vez comenzado el mes de diciembre, me resultaba difícil esperar a que llegara el gran día.

Así que un primero de diciembre le dije a mis padres que iría a dormir y que nadie me despertara hasta la mañana de Navidad. Me llevé una sorpresa cuando no discutieron.

Me fui a la cama aquella noche, pero sólo pude dormir hasta las 13:30 horas del día siguiente. Después, mi ciclo de sueño quedó alterado durante dos semanas.

Mamá dice que a los seres humanos les resulta IMPOSIBLE hibernar, pero no estoy del todo convencido de que esto sea CIERTO.

Hay una tribu de salvajes que habitan en los bosques y a quienes todo el mundo denomina "mingos". Nunca verás mingos en INVIERNO, y cuando reaparecen en PRIMAVERA, parece como si se acabaran de despertar.

Así que si no están HIBERNANDO, no sé QUÉ estarán haciendo durante todo el invierno.

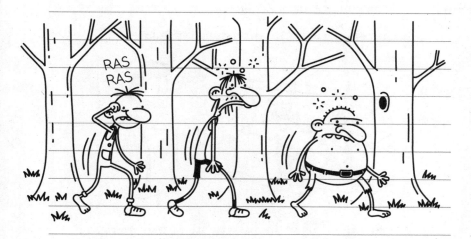

El resto de nosotros, la gente NORMAL, tiene que aburrirse en invierno lidiando con el frío.

Y la única manera de hacer ESO es estar dentro de casa el mayor tiempo posible y mantenerse caliente.

Cuando regresamos de nuestro viaje hace pocas semanas, había un paquete en nuestra puerta. Se trataba de un regalo navideño de tía Dorothy y, cuando lo abrimos, dentro había una inmensa MANTA.

Eso nos resultó SORPRENDENTE. Era muy suave, pero también era PESADA, que es justo como me gustan las mantas. El único problema era que se trataba de un regalo para los tres chicos, y en seguida empezamos a discutir por ella.

Todos queríamos usar la manta al mismo tiempo, así que mamá nos dijo que tendríamos que TURNARNOS.

Pero a ninguno de los tres nos gusta COMPARTIR
las cosas, así que mamá hizo un programa para saber
a quién le tocaba la manta, y cuándo.

Horario de la Manta

6:00 P.M.	7:30 P.M.	9:00 P.M.
Manny	Manny	Manny
6:30 P.M.	8:00 P.M.	9:30 P.M.
Greg	Greg	Greg
7:00 P.M.	8:30 P.M.	10:00 P.M.
Rodrick	Rodrick	Rodrick

Pero aquello no era JUSTO. Manny tiene su
PROPIA mantita, de modo que él tenía ración doble.

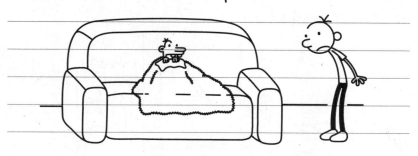

Cuando llegó MI turno de usar la manta, intenté
sacarle todo el partido posible.

45

Pero resultó complicado disfrutarla, porque Rodrick empezó a dar vueltas a mi alrededor cuando mi turno todavía iba por la mitad.

Cada uno disponía de tres turnos de media hora cada tarde, pero Rodrick engañó a Manny al irse con la manta al baño poco antes de la hora en que se suponía que COMENZABA el turno de Manny. Rodrick se sentó allí durante una HORA, lo que afectó MI propio turno.

Así que mamá estableció la regla de que no podríamos
llevarnos la manta al cuarto de baño.

Una noche dormí con la manta en mi habitación,
y Rodrick se quejó porque quería usarla mientras
tomaba el desayuno. Mamá estableció una NUEVA
regla diciendo que si duermes con la manta, tienes que
devolverla en el piso de abajo a las 8:00 de la mañana.

Al final de la primera semana había tantas reglas que
mamá tuvo que agruparlas todas en un MANUAL,
que acabó teniendo más o menos unas veinticinco
páginas de extensión.

**MANUAL DE
USUARIOS
DE LA MANTA**

Pero ESO tampoco solucionó nuestro problema, y mamá terminó confiscando la manta para dársela a quien se la "mereciera". Dijo que teníamos la culpa de no poder disfrutar de una cosa agradable, pues no éramos capaces de COMPARTIRLA.

Los adultos hablan y hablan de lo maravilloso que es compartir. A título personal, creo que eso está sobrevalorado. Si alguna vez tuviera suficiente dinero, construiría un enorme castillo todo para mí, y habría una gran manta muy pesada en cada habitación.

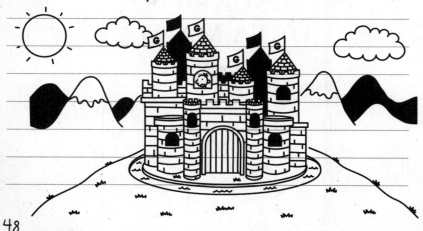

<u>Lunes</u>

Cuando me desperté, había helado afuera. Me aliviaba sentir que el INVIERNO había vuelto otra vez, pero entonces mamá me dijo que tenía que llevar ropa interior térmica a la escuela. Yo pensé que, después de todo, puede que el calentamiento global no sea tan malo.

ODIO llevar ropa interior térmica, porque resulta incómoda y me siento RIDÍCULO con ella. La ropa interior térmica se ve muy bien cuando está sobre un maniquí en el centro comercial, pero cuando me la pongo, parezco un superhéroe jubilado.

EQUIPO TÉRMICO

Los maniquís del centro comercial son siempre espectaculares, y hacen sentirse mal a los chicos como yo, que no pueden pasarse tres horas al día en el gimnasio.

Si alguna vez me pongo realmente en forma, me apuntaré como modelo para maniquís. Porque sería genial poder presumirlo en una cita.

Los maniquís que se ven en las tiendas de artículos deportivos están siempre en poses atléticas, y parece que sería DURO permanecer en esa posición mientras alguien te esculpe. Simplemente es demasiado esfuerzo para un trabajo que debería resultar muy FÁCIL.

Así que cuando solicite ese trabajo, lo haré en la tienda de camas o en la de bañeras.

Mamá dice que soy AFORTUNADO por tener ropa interior térmica, ya que nuestros ANTEPASADOS no disponían de ella para mantenerlos calientes.

Aunque a veces me SORPRENDEN mis antepasados. No tengo ni la más remota idea de por qué eligieron vivir AQUÍ cuando podrían haber escogido otro sitio mucho más CÁLIDO.

Pero no me puedo quejar, porque ellos consiguieron SOBREVIVIR, y todo lo que hicieron conduce directamente a MÍ. Ojalá pudieran ver cómo soy para que supieran que todos sus sacrificios VALIERON la pena.

Supongo que TODOS somos afortunados por estar aquí, porque los seres humanos han soportado MUCHAS privaciones para conseguir llegar hasta donde nos encontramos ahora.

En la escuela, hemos aprendido que hace diez mil años había una gran capa de hielo que cubría la mitad del planeta. Y si la gente ha sido capaz de sufrir ESO, presiento que puede con CUALQUIER COSA.

Mi profesora dijo que la Tierra vivirá otra glaciación y que volverá a haber glaciares, pero espero que eso no suceda muy PRONTO.

Dicen que los glaciares se desplazan LENTAMENTE, lo cual está bien, porque entonces tal vez tengamos la oportunidad de HACER algo al respecto.

No sé qué es peor, un planeta demasiado CALIENTE o uno demasiado FRÍO. Todo lo que sé es que hoy hacía frío, y no fue agradable ir caminando a la escuela por la mañana.

Traté de infundirme ánimos pensando en las cosas que me GUSTAN del invierno, pero resultó una lista muy corta. Sí, la Navidad es genial, pero después queda un largo y duro trecho hasta la primavera.

He decidido que lo único que vale la pena del invierno es el CHOCOLATE CALIENTE. Cuando estaba en las Patrullas de Seguridad, me daban chocolate caliente gratis en la escuela. Pero después de que me expulsaron, tuve que empezar a traerme el MÍO.

Últimamente, he llenado un termo con chocolate caliente todas las mañanas, y eso me mantiene en forma durante el camino a la escuela.

Pero creo que hoy papá tomó MI termo y me dejó el SUYO. Y no me percaté del cambio hasta que di un enorme trago de crema de champiñones.

PFFFFSGLUB

Ojalá mamá y papá me hubieran traído a la escuela en auto, pero tienen que salir media hora antes que yo.

Hay varios chicos en mi barrio cuyos padres los llevan en los días fríos como hoy. Pero cuando Rowley y yo intentamos hacerles señales para que nos recogieran, ni siquiera nos miraron. Y lo peor de todo es que en teoría los chicos que viven en la colina se APOYAN los unos a los otros.

Hoy hacía tanto frío que los profesores decidieron que nos quedáramos en el interior durante el recreo, lo cual ME pareció muy bien.

La ÚLTIMA vez que tuvimos recreo fuera en un día como hoy, Albert Sandy dijo que hacía tanto frío que podías escupir y tu saliva se congelaba antes de llegar al SUELO.

Pero era una EXAGERACIÓN y el recreo de aquel día se convirtió en una PESADILLA total.

Por lo general, los recreos en el interior no son muy divertidos. Se supone que nos entretenemos con juegos de mesa y manualidades, pero los chicos siempre están inquietos y encuentran la manera de animar las cosas.

Así que hoy la maestra dijo que íbamos a probar algo NUEVO.

Nos enseñó cómo jugar a las estatuas. Todo el mundo tiene que quedarse inmóvil como una estatua y seguir así durante el mayor tiempo posible.

Fue DIVERTIDO, pero cuando el recreo acabó reparé en que sólo había sido una artimaña facilona para que nos portáramos BIEN durante media hora.

La cosa es que no me gusta estar dentro de la escuela en invierno, porque hay muchos chicos RESFRIADOS y no quiero que ME contagien ninguna enfermedad.

La escuela está LLENA de gérmenes y NADIE se tapa la boca cuando tose o estornuda.

Caminar por el pasillo entre clase y clase es como adentrarse en una zona de guerra.

Nadie se acuerda de estornudar en el recodo del brazo, y los chicos como Albert Sandy tampoco AYUDAN. A la hora del almuerzo, Albert contó la historia de un tipo que intentó contener un estornudo y, cuando lo hizo, le ESTALLÓ la cabeza.

Le dije a Albert que eso no era verdad, pero me juró que sí lo ERA. Añadió que aquel tipo SOBREVIVIÓ y ahora trabaja como empacador de una tienda de comestibles, en el local de Shop-n-Dash.

Albert SIEMPRE divulga cuentos como ese, y los chicos de mi mesa se creen todo lo que cuenta. Así que ahora existen CERO posibilidades de que se cubran la boca la próxima vez que estornuden.

Hace un par de semanas, Albert dijo que cuando se muere una mascota en invierno hay que esperar hasta que el suelo se descongele en primavera para poder enterrarla. Luego afirmó que mientras tanto era preciso GUARDAR las mascotas en alguna parte.

Añadió que la gente de nuestra ciudad usa el congelador de la cafetería de la escuela para almacenar sus mascotas durante el invierno, y que ahora está A TOPE.

Estoy casi SEGURO de que se trata de otra de las historias estúpidas que se inventa Albert. Pero hasta que encontremos a nuestro CERDO, no pienso pedir el plato de Barbacoa Especial, por si acaso.

Me estoy planteando muy en serio cambiarme de mesa para almorzar, porque me aburre sentarme todos los días con Albert y los otros idiotas. No echaré de menos a Teddy Silvetti, quien lleva puesto el mismo suéter durante todo el invierno.

El suéter de Teddy no se ha lavado EN LA VIDA, y está lleno de manchas de comida. A veces los chicos de mi mesa tratan de adivinar de qué es cada mancha. A eso se dedicaron hoy.

¿Lo ven? Por este motivo las chicas de mi colegio ponen fotos de cantantes de música pop en sus casilleros. Los chicos de mi curso no les dejan otra OPCIÓN.

No me puedo IMAGINAR la cantidad de gérmenes que habrá en el suéter de Teddy. Eso explica por qué me siento al menos dos lugares más allá de él.

Cuando estoy en la escuela, dedico la mayor parte de mi fuerza mental a vigilar a los PORTADORES de gérmenes. Y ya he llenado dos libretas este invierno.

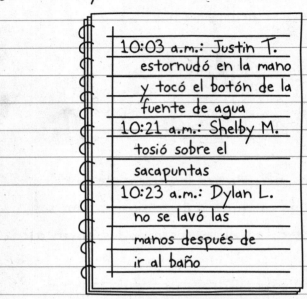

10:03 a.m.: Justin T. estornudó en la mano y tocó el botón de la fuente de agua

10:21 a.m.: Shelby M. tosió sobre el sacapuntas

10:23 a.m.: Dylan L. no se lavó las manos después de ir al baño

La cosa se complica cuando se trata de GEMELOS como Jeremy y Jameson Garza. No consigo distinguirlos, y hoy me pareció que uno estaba acatarrado, pero el otro NO lo estaba.

EJEM

Así que lancé una pelotita al pelo del que estaba tosiendo para seguirle la pista más fácilmente.

Lo único BUENO de estar acatarrado son las pastillas de cereza que mamá me da cuando tengo la garganta irritada. Ya sé que debería chuparlas lentamente, pero las mastico como si fueran CARAMELOS, y gasto varios paquetes al día.

Las chicas de mi grado ADORAN el olor a pastillas de cereza, lo cual hace que estar acatarrado casi VALGA la pena.

Por desgracia, ese olor también le gusta a los chicos de mi clase. Y siempre están intentando que les DÉ algunas pastillas.

Hace unas semanas me noté la garganta irritada y me traje a la escuela tres paquetes de pastillas de cereza. Guardé uno en mi bolsillo y dejé los OTROS dos en mi casillero.

Pero Jake McGough olfateó los paquetes que tenía ahí y, cuando quise darme cuenta, el Chichones ya había abierto el candado.

Ojalá no tuviera que ir a la escuela para NADA durante la temporada de frío y gripe. Tal vez algún día me compre una de esas grandes burbujas de plástico para no estar expuesto a los gérmenes de los otros chicos.

Pero estoy seguro de que mi burbuja no duraría ni un DÍA antes de que algún idiota la reventara.

Aunque odio estar enfermo, en el fondo estoy contento de que todavía no hayan inventado la vacuna contra el resfriado.

Porque si lo HICIERAN, no podría fingir que estoy enfermo y no podría quedarme en casa con los videojuegos.

Hoy hacía aún más frío durante el regreso a CASA que cuando íbamos a la escuela. Y esta vez Rowley y yo caminábamos de cara al VIENTO, lo que lo hacía diez veces PEOR.

Resultaba tan difícil que tuvimos que hacer algunas paradas en el trayecto a casa. El primer sitio donde nos detuvimos fue la pizzería, porque allí hay un gran horno, así que siempre hace calor dentro del local. Pero cuando el propietario se dio cuenta de que no íbamos a COMPRAR nada, nos puso de patitas en la calle.

Después fuimos a la biblioteca. De ahí no nos podían echar. Sin embargo, cuando las encargadas empezaron a insistirnos con los libros, nos fuimos de allí VOLUNTARIAMENTE.

Ojalá hubiéramos usado el baño de la biblioteca antes de irnos, porque cuando estábamos a medio camino de casa, a Rowley le entró una necesidad acuciante. Llamamos a varias puertas, pero la gente que nos veía simulaba no estar en casa.

TOC TOC

Al final conseguimos que nos ABRIERAN, pero a esas alturas la cara de Rowley estaba tan helada que no podía decir NI MU.

¡FU FU UOOO ZUFF!

Para cuando llegamos al pie de la calle Surrey, ya pensaba que Rowley tendría que ir a urgencias. Pero sabía que nadie de la parte baja de la calle Surrey nos permitiría pasar a su casa.

Hay una PIEDRA enorme en el jardín delantero del señor Yee, y le sugerí a Rowley que se escondiera detrás para hacer sus cosas. Si me preguntan, yo no haría pis al aire libre con SEMEJANTE frío, porque Albert Sandy nos contó lo que le ocurrió a un pavo que lo HIZO.

Pero no creía que fuera el momento adecuado para mencionárselo a Rowley, y de todos modos no estoy muy seguro de que sólo tuviera pipí.

Ni idea de qué hacía ahí detrás, pero estaba tardando una ETERNIDAD. Algunos chicos de la parte baja de la calle Surrey salieron de sus casas para jugar, y Rowley consiguió atraer a una multitud en un abrir y cerrar de ojos. Me hice el loco, pues no quería que la gente supiera que estaba CON él.

Por suerte, Rowley terminó de hacer sus necesidades y salimos de allí antes de que alguien se diera cuenta de lo que estaba HACIENDO. Porque ésta es justo la clase de estupidez que termina desatando una GUERRA.

<u>Martes</u>

Esta mañana volvió a hacer un frío que pelaba, así que escarbé en el armario en busca de bufanda y guantes. Mamá dijo que tenía que llevar las manoplas que la abuela me había hecho hace un par de años. Pero, por desgracia, se olvidó de los PULGARES.

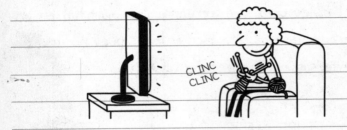

Así que mis manoplas son básicamente COMO CALCETINES. Y no me sirven PARA NADA en una pelea de nieve.

Mamá dijo que debería llevar orejeras, pero he aprendido que si los chicos saben que no oigo cuando se ACERCAN, resulta una tremenda PROVOCACIÓN.

El motivo por el que paso tanto frío es que soy DELGADITO y mi piel carece de aislantes. Todos los inviernos, intento comer mucho para generar una capa extra de grasa, pero supongo que soy de metabolismo rápido, porque nada de lo que hago parece FUNCIONAR.

Esta mañana debíamos estar a diez bajo cero en el exterior. De camino a la escuela me pregunté si la SANGRE puede helarse.

He oído que el cuerpo humano tiene un 60 por ciento de AGUA, así que supongo que sería POSIBLE. Pero parece una invención típica de Albert Sandy.

Lo que más me obsesionaba era la CONGELACIÓN. Para cuando me encontraba a medio camino de la escuela, sentía un DOLOR agudo en las orejas y, sinceramente, desearía haberle hecho caso a mamá respecto a las orejeras.

Pensaba que una de mis orejas se DESPRENDERÍA en cualquier momento y que no lo notaría hasta llegar a clase.

SEÑOR HEFFLEY, ¿HA HECHO SU TAREA?

¿EH?

Sin embargo, no eran mis OREJAS lo que más me preocupaba. Al parecer hay un MONTÓN de partes del cuerpo que se te pueden congelar.

No quisiera perder la NARIZ, porque parecería un monstruo sin ella. Aunque, por otra parte, mi pupitre en Ciencias Sociales se encuentra junto al CUARTO DE BAÑO, así que al menos ESO ya supone una pequeña mejora.

Además, mi nariz SIEMPRE moquea en los días fríos, y sólo me doy cuenta de que tengo mocos helados en la cara cuando ya es demasiado tarde.

Tampoco me gustaría que se me congelara la BOCA, porque parecería que siempre estoy SONRIENDO. Y, según en qué situaciones, eso podría suponer auténticos problemas.

ME ENCANTA QUE ESTO TE RESULTE TAN DIVERTIDO.

SNIF

Tuve suerte de encontrar esas MANOPLAS, porque no me gustaría perder ningún DEDO de las manos. Lo único de lo que me desprendería con gusto serían los dedos meñiques de los pies, pues casi no los he UTILIZADO. La última vez, que yo recuerde, fue cuando era muy pequeño y necesitaba contar hasta veinte. Quitando eso, para mí es como si nunca hubieran existido.

¡18..., 19..., 20!

Supongo que a MUCHOS chicos también les preocupaba la congelación, porque cuando llegué a la escuela había una cola para el baño. Mis compañeros aguardaban su turno para entrar en calor usando el secador de manos. Por lo cual llegué cinco minutos tarde a la primera clase.

ZUMMM

Hoy no soplaba tanto viento de vuelta a casa, pero de todos modos hacía tanto FRÍO como ayer. Rowley y yo nos detuvimos otra vez en la pizzería para calentarnos, porque Rowley había encontrado en el bolsillo de su abrigo un cupón válido por dos bocadillos de albóndiga gratis.

CHAP   CHAP

Al salir de la pizzería, todavía nos quedaba un largo trecho para caminar. Pero entonces se me ocurrió una idea.

El domicilio de mi abuela se encuentra a medio camino entre la escuela y la calle Surrey, y sabía que no había nadie en su CASA. Eso es porque la abuela viaja al sur todos los inviernos y no regresa hasta que llega la primavera.

Durante el invierno, la abuela nos envía fotos de ella y sus amigas en traje de baño para que sepamos que se lo está pasando bien.

La abuela también se lleva a su perro Sweetie con ella. Así que mientras yo estoy aquí con el cuerpo helado, resulta fantástico saber que Sweetie está tumbado en una playa, allá en el sur, tomando el sol.

La abuela acostumbra guardar una llave dentro de su duende de jardín, junto a la puerta principal. Y, por supuesto, allí es JUSTO donde se encontraba hoy.

Supuse que podíamos usar la casa de la abuela para entrar en calor antes de la última etapa. A Rowley le preocupaba que no hubiera ningún adulto en casa, pero le dije que la abuela era mi FAMILIA, y habría QUERIDO que usáramos su casa mientras ella estaba fuera.

Entramos. Me llevé una sorpresa. Aquello parecía una NEVERA, por lo que deduje que la abuela desconectaba el termostato cuando se iba en invierno.

La abuela suele tener la calefacción ENCENDIDA.
Cuando está en casa, hace tanto calor que tienes
que comerte el helado con la puerta de la nevera
abierta para que no se te derrita.

Lo primero que hicimos al entrar en casa de la
abuela fue activar el termostato. Sin embargo,
la casa tardaba en calentarse, de modo que
encendí el horno y entramos en calor
RÁPIDAMENTE.

La abuela guardaba unos cuantos aperitivos en el refrigerador, y Rowley y yo nos despachamos a gusto. Pero mientras comíamos, detectamos cierto MOVIMIENTO por la ventana delantera.

Se trataba de la señorita McNeil, la vecina fisgona de la abuela. Debió haber visto la luz del refri, y ahora estaba investigando.

Permanecimos fuera de su vista, y al final la señora McNeil se marchó. Pero ahora sabíamos que debíamos ser CUIDADOSOS, porque no queríamos que avisara a la POLICÍA. Así que bajamos la voz y fuimos a la sala, donde la abuela tiene la tele.

La abuela tiene TODOS los canales de pago, y por suerte NO los había dado de baja en invierno. Pero no podíamos arriesgarnos a llamar la atención de la señorita McNeil de nuevo, así que tomamos una manta y nos tapamos junto con la tele, y la vimos de ESTA manera.

Supongo que perdimos la noción del tiempo porque, cuando apagamos la tele, ya había OSCURECIDO. Ahora la casa de la abuela estaba calentita y agradable, y no se me antojaba en absoluto volver al frío de afuera. Se me ocurrió una idea para hacer un poco más LLEVADERO el camino de regreso a casa.

Imaginé que, si calentábamos nuestra ropa en la secadora de la abuela antes de salir, eso mitigaría el frío durante el resto del trayecto. Así que bajamos al sótano donde estaban las lavadoras y metimos nuestras prendas.

Programamos el temporizador para treinta minutos y esperamos. Pero resultaba incómodo esperar en paños menores mientras la secadora hacía su trabajo.

Además, hacía FRÍO, así que buscamos por allí algo para ABRIGARNOS. Rowley encontró una sudadera que yo le había regalado a la abuela por su cumpleaños, y se la PUSO. Pero yo no me sentía CÓMODO vestido con la ropa de mi abuela.

Encontré un suéter que la abuela había tejido para Sweetie y me quedaba mejor de lo que esperaba. Pero me PICABA un poco, y no recordaba si Sweetie había tenido PULGAS.

RIS
RIS

Mientras buscábamos algo para cambiarlo, escuchamos algunos RUIDOS en el piso de arriba.

Lo PRIMERO que pensé fue que la abuela le había dado a la señorita McNeil una llave de la casa y ahora estaba dentro. Pero Rowley opinaba que tal vez era un LADRÓN que sabía que no había nadie en casa. ¿Y si tenía RAZÓN?

CLOMP CLOMP

Oímos ruido de pasos que venían de la escalera y, cuando la puerta del sótano se abrió, los dos nos asustamos mucho.

Miré a mi alrededor buscando algo que utilizar para DEFENDERME, pero lo mejor que pude encontrar fue un destapador del cuarto de baño.

Rowley agarró un bote de aerosol de esencia de limón y un bolso de la abuela. Y cuando oímos los pasos bajando las escaleras, nos preparamos.

Los pasos se DETUVIERON cerca del pie de las escaleras, y entonces pasamos a la ACCIÓN.

Resultó que no era la señorita McNeil, ni tampoco un ladrón. Era MAMÁ.

Estaba allí para lavar la ropa, puesto que nuestra lavadora de casa no funciona.

Mamá no dijo gran cosa. Sólo que nos pusiéramos de nuevo la ropa de invierno y que nos metiéramos al coche. Permaneció en silencio durante todo el trayecto de vuelta al barrio, lo que resultaba realmente VERGONZOSO.

Supuse que, tan pronto Rowley se bajara del coche, mamá me regañaría por estar en casa de la abuela sin permiso. Pero no dijo NADA, y tampoco se lo mencionó a papá durante la cena.

Después de que Rodrick y yo terminamos de lavar los platos, mamá dijo que quería charlar conmigo en mi habitación. Me dijo que es "perfectamente normal" que los chicos de mi edad jueguen a las "fantasías" y que no había de qué sentirse avergonzado. Después dijo que estaba contenta de que Rowley y yo estuviéramos usando nuestra imaginación en lugar de estar enchufados en los videojuegos.

No tengo ni la menor IDEA de lo que mamá pensaba que hacíamos en el sótano de la abuela. Pero a decir verdad, casi habría preferido que me CASTIGARA.

FEBRERO

<u>Miércoles</u>

Ha nevado por varios días, y anoche cayeron unos
cuantos centímetros más. Por desgracia no
bastó para cerrar la escuela, pero incluso aunque
nevara MÁS que eso, no creo que nos diesen el
día libre.

Todos los años tenemos una cantidad limitada de días
libres por la nieve. Si los usamos todos, nos obligan a
descontarlos de las vacaciones de verano. Y ya hemos
consumido la mayoría de los días libres que teníamos
para este invierno, aunque UNOS CUANTOS no
fueron por culpa de la NIEVE.

En diciembre, la escuela tuvo que cerrar tres días
por una plaga de PIOJOS.

Lo que ocurrió fue que Lily Bodner fue a clases con la cabeza llena de piojos, pero supongo que no lo sabía. Y se los CONTAGIÓ a sus amigas mientras se tomaban un montón de fotos juntitas.

Cuando tengamos que sentarnos el mes de julio en una clase recalentada, habrá que agradecérselo a Lily y sus selfies.

A veces, cuando nieva por la mañana nos dan MEDIO día. Pero no es que me gusten los medios días, porque hay que recorrer todo el camino sólo para pasar unas pocas horas en la escuela.

Lo AUTÉNTICAMENTE fastidioso es cuando en la escuela miran el pronóstico del clima y deciden POR ADELANTADO que el día siguiente será un medio día.

En un medio día, el horario de la escuela es exactamente el mismo, pero todo dura la mitad. Y eso incluye los CASTIGOS. Y los bravucones de la escuela saben que, si hacen alguna trastada el día ANTERIOR a un medio día, sólo recibirán media SANCIÓN.

TRAS

En ocasiones, la escuela cierra porque SE SUPONE que va a nevar, y luego NO lo hace. Eso se debe a que la escuela confía en las predicciones del meteorólogo de la televisión local, y éste se equivoca por lo menos la mitad de las veces.

GARY METE LA PATA

OTRA VEZ

En Nochevieja dijo que al día siguiente habría un "clima para playeras y bermudas", pero cayeron diez centímetros de nieve. Y cuando los vecinos lo vieron en el supermercado, le dejaron claro su descontento.

Para ser sinceros, no me explico cómo no han echado a este tipo de su TRABAJO. Supongo que mientras telespectadores como mis padres lo sintonicen todas las noches, él seguirá estando AHÍ.

Esta mañana no pude encontrar una de mis manoplas, así que busqué algo con qué sustituirla. Ya iba con retraso, así que lo mejor que encontré fue una marioneta que mamá me compró cuando era pequeño para inducirme a comer verduras.

Supongo que mamá pensó que si al Señor Bocados le gustaban las verduras, a mí también me gustarían. Pero yo utilizaba al Señor Bocados para que se comiera MIS verduras y, cuando lo encontré hoy en el armario, aún tenía la cara manchada con la comida que no me comí de pequeño.

Ya sé que es un poco ridículo llevar puesto un muñeco como si fuera un guante, y la MAYORÍA de las veces me acordaba de meterlo doblado en el bolsillo de mi abrigo, camino a la escuela.

Pero cuando Cassie Drench pasó en el auto de su madre, me olvidé POR COMPLETO de que el Señor Bocados seguía en mi mano.

Hablando de CHICAS, hace unas semanas se produjo un GRAN cambio en las Patrullas de Seguridad.

Antes recurrían casi siempre a los CHICOS para formar las Patrullas, pero o bien lo dejaron, o bien los expulsaron antes de comenzar el año nuevo.

Los últimos dos chicos de las Patrullas fueron Eric
Reynolds y Dougie Finch. Ambos eran capitanes.
Pero les retiraron las placas la primera semana de
enero, cuando entablaron una batalla de bolas de
nieve delante del aula de preescolar de la escuela
primaria.

Así que ahora las Patrullas de Seguridad se componen
cien por ciento por CHICAS. Y apostaría a que
planean conservar el poder por mucho TIEMPO.

Ello se debe a que los chicos de mi escuela son
unos auténticos CRETINOS. Y cuando nieva, se
comportan REALMENTE mal.

Con el tiempo, estoy seguro de que las chicas se HARTARON de ello, y por eso tomaron el mando.

Ahora que ellas han accedido al poder, no se andan con miramientos. Si lanzas una sola bola de nieve en día de clase, las patrulleras de seguridad informan a la directora, y te cae una fulminante expulsión temporal.

Así que las chicas están DESEANDO que algún chico se pase de la raya.

Hoy la calle estaba despejada, pero las aceras NO
lo estaban. Cuando sucede eso, Rowley y yo nos
limitamos a caminar por la calle. Pero estas nuevas
patrulleras de seguridad son muy estrictas con las
reglas, y no nos dejan caminar sobre el asfalto,
aunque ELLAS lo hagan.

Pero resulta prácticamente IMPOSIBLE caminar sobre
la acera cuando no está libre de nieve, SOBRE TODO
si la gente está despejando los accesos de los garajes.

Es difícil saber dónde se ENCUENTRA el borde, y esta mañana casi me rompo la rodilla con una boca de incendios que estaba enterrada bajo un montón de nieve.

Lo que más me FASTIDIA es que las patrulleras de seguridad obliguen a todos los chicos a caminar sobre la ACERA, pero dejen a las CHICAS ir por la CALLE.

Cuando Rowley y yo llegamos a la escuela hoy, estábamos exhaustos por el viaje. Pero las chicas de nuestro grado estaban frescas como lechugas.

Y si alguna de ellas llega a presidenta, será porque tuvo favoritismo en la secundaria.

En realidad no culpo a las patrulleras de seguridad por discriminar a los chicos de mi curso. La mayoría de ellos son unos PATANES, y hacen parecer malos a los chicos civilizados como YO.

Pero desde que tenemos estas novedades en la Patrulla de Seguridad, no dejo de pensar en cómo distinguirme de estos bobos.

Si logro trabajar PARA las patrulleras de seguridad, podré ir con los BUENOS. Y si ayudo a las chicas con los sujetos problemáticos, ellas estarán en DEUDA conmigo.

Por alguna razón, los soplones están muy mal vistos en mi colegio. Si denuncias a alguien por hacer algo INCORRECTO, entonces todo el mundo dice que eres un soplón. Y es muy difícil lidiar con ello.

Pero por lo que yo sé, los BRAVUCONES son los únicos beneficiarios del "pacto de silencio". Estoy seguro de que ellos son los PRIMEROS a los que se les ocurrió esta idea.

A título personal, no siento NINGÚN reparo
por denunciar. Y por lo visto puedes ganar
DINERO por ser un delator.

Rodrick me habló de un tipo de su escuela que
resultó ser un agente de narcóticos. O sea,
FINGÍA ser un estudiante, pero en realidad era
un policía ENCUBIERTO.

Ya había oído algo sobre esto, y a veces me
pregunto si hay AGENTES de narcóticos en
nuestra escuela.

Un chico nuevo llamado Shane Browning entró a
nuestra escuela a mediados de curso, y parece mucho
mayor que el resto de los alumnos. Estoy empezando a
preguntarme si no SERÁ un agente de narcóticos.

Así que le he estado proporcionando información privilegiada sobre mis compañeros de clase, por si acaso.

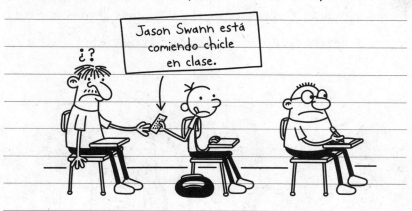

Sea como sea, la nieve está causando un MONTÓN de problemas. Estos últimos días los chicos fueron a la escuela con botas y, claro, han ido dejando rastros de nieve por todos los pasillos.

Así que hoy los maestros obligaron a todo el mundo a quitarse las botas en la entrada. Pero la nieve de las botas se DERRITIÓ y formó un enorme CHARCO.

Entonces los chicos CAMINARON sobre el charco para ir a las clases. Todos los calcetines quedaron EMPAPADOS en un santiamén. Una cosa llevó a la otra y, en la tercera hora, los pasillos eran un completo CAOS.

La situación empeoró tanto que los maestros nos confiscaron los calcetines y los guardaron en la secretaría.

Y tener a un puñado de estudiantes descalzos no es la mejor de las ideas, que digamos.

Al final del día, fuimos a la oficina para recuperar nuestros calcetines. Pero la mayoría de los calcetines eran muy PARECIDOS, de manera que nadie podía distinguir cuáles pertenecían a quién.

Por suerte, Jake McGough tiene un sentido del olfato verdaderamente extraordinario y fue capaz de emparejar a cada quien con sus calcetines.

Incluso pudo distinguir los calcetines correctos para los gemelos Garza. Esto resulta IMPRESIONANTE.

Me encantó que hoy hiciera algo menos de frío en el camino de vuelta, pues Rowley y yo ya no podíamos buscar refugio en la casa de la abuela. Pero eso no significa que fuera FÁCIL.

No está permitido arrojar bolas de nieve en el trayecto entre la escuela y casa. Pero DESPUÉS de que hayas llegado, puedes hacer lo que QUIERAS.

Por lo tanto, los chicos que viven cerca de la escuela pensaron que, si depositaban las mochilas en sus casas, eso ya contaba como si hubieran REGRESADO a sus casas. Luego se dedicaron a perseguir a los que todavía teníamos que CAMINAR un buen trecho, como Rowley y yo.

Las PATRULLERAS DE SEGURIDAD también fueron sus víctimas. Pero las reglas son las reglas, y no se les permite DEVOLVER los golpes.

Y sufrieron también un ataque por ambos FLANCOS. Algunos chicos a los que habían llevado en auto a casa RETROCEDIERON a pie para participar en la emboscada.

Mañana se prevé que caiga más nieve. Le he dicho a mis padres que estoy ahorrando para comprarme una MOTO DE NIEVE, para que los desplazamientos a la escuela serán menos engorrosos en días como hoy.

Pero ellos empezaron a enumerar todas las razones por las que un alumno de mi edad no debería tener una moto de nieve, y al cabo de un rato dejé de escucharlos.

Siempre que tengo alguna buena idea, mis padres me la tumban. Hicieron justo lo mismo el invierno PASADO, cuando les hablé de un trineo tirado por perros.

Imaginé que, si comprara algunos perros y los entrenara para remolcar un trineo, ir a la escuela por la mañana sería un PASEO.

Sin embargo, mis padres debieron pensar que era BROMA, porque dijeron que tendría que intentarlo.

Pero cuando me gasté el presupuesto navideño en comprarle unos cachorros a la señora que vive más arriba en mi calle, mamá y papá me obligaron a devolverlos todos.

<u>Jueves</u>

Hoy recordé por qué el invierno no es mi estación favorita del año.

Nevaba otra vez. No obstante, esta mañana quise hacer varios preparativos adicionales para estar calientito en el camino de ida a la escuela. Papá había encendido la chimenea antes de salir al trabajo, y supuse que podría usarla para calentar el abrigo y las botas antes de ponérmelos.

Pero puse las botas demasiado cerca del fuego, y las suelas de goma se fundieron y quedaron pegadas a los ladrillos. Así que no se MOVIERON cuando llegó la hora de irse.

Rowley estaba a punto de llegar, así que debía pensar en QUÉ ponerme en los pies.

Sabía que las patrulleras de seguridad no nos permitirían caminar sobre la calle, y mis tenis se iban a EMPAPAR si tenía que caminar sobre la nieve.

Así que me hice mis propias RAQUETAS con unas cajas de pizza y cinta adhesiva. Y cuando Rowley llamó a la puerta, yo ya estaba preparado.

Tengo que admitir que mis raquetas funcionaron incluso mejor de lo que ESPERABA. De hecho, me movía tan deprisa que a Rowley le costaba seguirme.

TRAS   TRAS

Pero en cuanto llegamos a la parte baja de la calle Surrey, el panorama cambió.

Las cajas se ABLANDARON y comencé a hundirme en la nieve. Y fue PEOR que caminar con los tenis, porque ahora tenía que levantar las CAJAS mojadas a cada paso.

PLAS   PLAS

Sabía que mi idea no estaba funcionando, así que Rowley trató de ayudarme a despegar las cajas de los tenis. Pero era prácticamente IMPOSIBLE, porque tenían dos vueltas de cinta adhesiva.

ÑEC   REC

Por desgracia, nos encontrábamos justo en el borde del jardín de los Guzmán, que tienen once perros. Los perros sentían curiosidad por lo que estábamos haciendo, y eso no ayudaba.

Después los perros se pusieron AGRESIVOS y empezaron a pelearse por las cajas de pizza. Entonces recordé que aún había restos de pizza pegados en ellas.

Los perros masticaron las cajas y por suerte no me DESCALZARON. Nos marchamos de allí lo más rápido que pudimos, con mis tenis mojándose en la nieve.

En el mismo instante en el que pisé la calzada, pude escuchar los silbatos de las patrulleras de seguridad. Así que tuve que aguantarme y caminar sobre la acera nevada.

No pasó mucho tiempo antes de que el FRÍO me invadiera. Me preocupaba que pudiera perder los DEDOS de los pies si no conseguía encontrar pronto una manera de hacerlos entrar en calor. Pero la escuela todavía quedaba muy lejos, y yo estaba desesperado.

Así que fuimos parando cada pocas casas y yo
introducía los pies en los extractores de aire hasta
que podía sentir mis dedos de nuevo.

Al final conseguimos llegar a la escuela. Tardé un
minuto en darme cuenta de que ALLÍ dentro hacía
tanto frío como en el EXTERIOR.

Al parecer, el olor de los calcetines de ayer
había resultado demasiado fuerte para el conserje
nocturno.

Así que recorrió la escuela y abrió todas las ventanas para que circulara el aire fresco.

Pero supongo que se olvidó de CERRAR las ventanas al acabar el turno. Y la caldera no lo resistió y dejó de funcionar. Así pues, nos enfrentábamos a todo un día de escuela SIN CALEFACCIÓN.

Al principio, los maestros nos permitieron usar nuestras prendas de invierno en clase. Pero supongo que aquello les pareció muy raro, así que decidieron mandarnos a los casilleros a guardarlas.

En clase de Historia nos estábamos HELANDO, pero nuestra maestra estaba muy a gusto. La señorita Willey tiene un calentador portátil al lado de su mesa, y lo había puesto al MÁXIMO.

ZOOOOM

Cuando estábamos en clase, una chica llamada Becky Cosgrove volcó su pupitre y se puso a gritar. Aquello era de lo más inesperado.

Como castigo, la señorita Willey hizo sentarse a Becky en una silla cerca de su mesa. Casi de inmediato comprendimos a qué estaba jugando Becky.

ZOOOOM

Pero los chicos de la secundaria son unos descerebrados, y al cabo de medio minuto TODOS trataban de hacer méritos para sentarse cerca de la señorita Willey.

Durante el resto del día, todos hicieron lo que pudieron para entrar en CALOR. Y algunos chicos fueron muy CREATIVOS.

Hace pocas semanas hubo una función teatral en la escuela, y alguien tuvo la brillante idea de llevarse uno de los disfraces almacenados detrás del escenario.

Mientras a la mayoría se nos helaban los traseros ahí DENTRO, la nieve se acumulaba FUERA. Y a la cuarta hora, a la gente le asustaba la posibilidad de que nos quedáramos retenidos en la escuela toda la NOCHE.

Durante el almuerzo, los chicos lo compraron todo en la cafetería, para tener algo de comer por si seguía nevando. Eso contagió el pánico a los DEMÁS, que asaltaron las máquinas dispensadoras de los pasillos.

Llegado ese punto, la gente trataba de apoderarse de cualquier cosa que fuera COMESTIBLE. Corrió el rumor de que había comida en el laboratorio de CIENCIAS, y los chicos corrieron hacia allá en tromba.

Y por lo que he oído, dejaron LIMPIO aquel lugar.

Creo que la directora se dio cuenta de que se trataba de un MOTÍN, así que decidió cerrar la escuela antes de la hora.

Aquella era una magnífica noticia para todos los que volvían a casa en AUTOBÚS, pero para los chicos que teníamos que ir A PIE no era tan fácil. No me apetecía caminar hasta casa en medio de una tormenta de nieve, así que se me ocurrió una IDEA. La calle Whirley no queda demasiado lejos de NUESTRO vecindario, de modo que supuse que Rowley y yo podríamos montarnos en ESE autobús y después CAMINAR durante el RESTO del trayecto.

Así que al salir de la escuela, nos dirigimos directamente a la parada del autobús. Y estábamos tan arropados que nadie nos RECONOCIÓ cuando subimos.

Debo decir que me sentí un poco INCÓMODO entre los chicos de la calle Whirley, porque pertenecían a una banda RIVAL. Todos los inviernos solían ir a montar en trineo por nuestra colina hasta que descubrieron el hoyo 13 del campo de golf.

El hoyo 13 es algo LEGENDARIO, y todo el mundo sabe que tiene la mejor cuesta de la ciudad para lanzarse con un trineo. Pero el problema es que el campo de golf es de un club privado, y si vas allí, estás incurriendo en INVASIÓN DE LA PROPIEDAD.

El año pasado quise comprobar el motivo de tanto alboroto con el hoyo 13, así que le pedí a Rowley que viniera conmigo. Pero Rowley estaba SUPERASUSTADO con eso de invadir la propiedad ajena, y no quería acompañarme.

Tuve que recordarle que él y su familia son MIEMBROS del club de campo, así que, siendo estrictos, NO se trataría de una invasión.

Pero comprendo que a Rowley le preocupara que pudieran expulsar a su familia del club si lo descubrían con el trineo. Así que, para camuflarse, agitó su cara muy deprisa durante todo el tiempo que estuvimos allí.

Tengo que admitir que el hoyo 13 era todo lo que la gente DECÍA de él.

Había una rampa muy EMPINADA, y alguien había construido un promontorio de nieve cerca del final para que los chicos saltaran muy ALTO por el aire.

Hicimos unos cuantos descensos estupendos, pero entonces llegaron los chicos de la calle WHIRLEY y echaron a todos los DEMÁS del campo de golf para disfrutarlo ELLOS SOLOS.

Pero NO me importó. Mientras estos tipos no causaran problemas en NUESTRA calle, me tenía sin cuidado que se apoderasen de todo el CAMPO DE GOLF.

El viaje en autobús en compañía de los muchachos de la calle Whirley no fue agradable, pero Rowley y yo tratamos de mantener un perfil bajo para pasar desapercibidos.

Estábamos casi en la calle Whirley cuando uno de los chicos que viajaban en la parte de atrás hizo algo ESTÚPIDO y lanzó una bola de nieve DENTRO DEL AUTOBÚS.

La conductora se detuvo de inmediato. Dijo que de allí no se movía nadie hasta que la persona que había tirado la bola de nieve lo confesara.

Como ya he dicho, existe la norma no escrita de no delatarse en la secundaria, así que nadie dijo ni PÍO. Ojalá hubiera sabido quién había sido, porque lo habría denunciado SIN PESTAÑEAR.

Yo estaba seguro de que la conductora del autobús no hablaba en SERIO cuando dijo que de allí no nos moveríamos, y que al cabo de pocos minutos reanudaríamos la marcha.

Pero entonces ella sacó un LIBRO, y empezó a leerlo desde la PRIMERA página. Así que nos quedamos sentados y a la espera durante una HORA mientras ella leía.

Lo peor de todo fue que la conductora había apagado el MOTOR, por lo que tampoco había CALEFACCIÓN.

Se produjo una conversación en la parte de atrás del autobús. Creo que algunos chicos intentaban que el fulano que había lanzado la bola de nieve se entregara.

En mala hora me giré para mirar, porque cuando lo HICE, un chico de octavo curso se dio cuenta de que yo no era de la calle Whirley.

No hizo falta más. Aquellos chicos necesitaban un CHIVO EXPIATORIO y, como yo era un INTRUSO, la elección les resultó muy obvia.

La conductora del autobús dijo que tenía que bajarme DE INMEDIATO. No me importó, porque mi identidad había quedado al descubierto y no deseaba permanecer allí más tiempo del NECESARIO. Así que me bajé del autobús y Rowley me siguió a dos pasos.

Estaba convencido de que nos encontrábamos a unos dos kilómetros de la calle Surrey. La carretera donde estábamos no tenía aceras, pero tampoco había patrulleras de seguridad tan lejos, así que fuimos caminando por la calle.

Al cabo de cinco minutos, escuchamos unas voces iracundas. Se trataba de un grupo de chicos de la calle Whirley, e iban POR nosotros.

Primero, estos idiotas MINTIERON al acusarme de haber tirado la bola de nieve en el autobús. Y luego se CREYERON su propia mentira y ahora estaban RABIOSOS.

Rowley y yo tuvimos que tomar una decisión. Podíamos encararnos con aquella chusma o salir CORRIENDO. Decidimos huir, y el único sitio adonde hacerlo era el corazón del BOSQUE.

Créanme, era la ÚLTIMA cosa que quería hacer. Todo el mundo sabe que el FAUNO habita en los bosques cercanos a esa carretera, y que por eso nadie frecuenta el lugar.

Rodrick fue el primero en hablarme del fauno. Me explicó que se trataba de un ser mitad hombre y mitad cabra.

Yo no estaba seguro de si había querido decir que la mitad de arriba era una CABRA y la de abajo era un HOMBRE, o si era al revés. En todo caso, el fauno me pareció algo temible.

Rowley yo nos hemos pasado AÑOS discutiendo sobre qué versión es la correcta. Rowley cree que el fauno está dividido por la MITAD a lo largo.

Tal vez Rowley esté en lo CIERTO. Si me preguntan, creo que su versión es un poquito ESTÚPIDA.

Nos divertía hablar de estas cosas en las fiestas de pijamas, desde la seguridad que proporciona un saco de dormir. Pero ahora que nos encontrábamos en el bosque donde HABITA el fauno, no tenía ninguna gracia.

Los chicos de la calle Whirley también debían haber oído hablar del fauno, porque cuando nos adentramos en el bosque no nos siguieron. Me imaginé que sólo estaríamos allí lo justo para que los chicos de la calle Whirley se LARGARAN, porque no queríamos permanecer en ese sitio ni un MINUTO más de lo estrictamente necesario.

Pero aquellos muchachos debían saber que éramos demasiado gallinas para estar allí mucho tiempo, y comprobamos que nos esperaban en la carretera, en la orilla del bosque.

Así que sólo podíamos adentrarnos en el bosque, y eso fue lo que hicimos.

Lo más INQUIETANTE era el SILENCIO que reinaba allí. Al cabo de un rato, me di cuenta de que no podíamos oír los coches en la carretera. Entonces me percaté de que habíamos ido DEMASIADO lejos.

Retrocedimos sobre nuestros pasos hacia la carretera, pero el sol ya se estaba poniendo y resultaba difícil encontrar nuestras huellas.

Aceleramos el ritmo, porque no queríamos pasar tiempo a OSCURAS en el bosque. Pero cuando encontramos unas huellas nos quedamos PASMADOS.

Al principio creímos que se trataba del FAUNO. Pero luego nos dimos cuenta de que había DOS tipos de huellas, y eran las NUESTRAS. Eso significaba que habíamos caminado diez minutos en un CÍRCULO gigante.

Así que dimos la vuelta y nos encaminamos en la OTRA dirección. Pero cuando llegamos a un ARROYO, me di cuenta de que nos habíamos perdido.

GLU GLU

Rowley estaba ATERRADO, pero yo no. Sabía que si te pierdes en la naturaleza salvaje, mientras tengas AGUA, estarás BIEN.

Una vez vi una película en la que unos exploradores se quedaban atrapados en las montañas, pero encontraron un manantial que les permitió sobrevivir.

Pero entonces recordé que, en un momento de total DESESPERACIÓN, tuvieron que comerse a su manada de perros. Sólo esperaba no tener que llegar a ESO.

Entonces supuse que si seguíamos el arroyo, éste nos CONDUCIRÍA a alguna parte, y que al menos no nos perderíamos de nuevo. Pero cuando llegamos a una presa construida por castores, Rowley se echó a temblar.

Dijo que los castores son PELIGROSOS, y que había visto en la tele a uno de ellos atacando a una PERSONA.

Pero Rowley es idiota. El programa del que estaba hablando eran unos DIBUJOS ANIMADOS, y yo estaba CON él cuando los vio.

PAT
PAT
PAF

Aun así, no pude convencerlo para que se acercara al arroyo, y tuvimos que darnos la vuelta DE NUEVO. Y ahora estaba REALMENTE oscuro. Después de caminar durante un buen rato, algo brillante captó mi atención. Pensé que tal vez fueran los faros de un auto, y corrimos en esa dirección.

Resultó que en efecto la luz PROCEDÍA de un auto, pero el auto sólo era una vieja pieza de chatarra oxidada en medio del bosque. Y lo que me había llamado la atención era el reflejo de la LUNA en el parachoques.

Cuando mis ojos se acostumbraron a la luz, me percaté de que había MUCHOS autos y camionetas abandonados a nuestro alrededor.

Vi algo brillante sobre el tocón de un árbol y lo recogí. Era un objeto frío y metálico y, cuando lo acerqué a mi cara para observarlo mejor, supe EXACTAMENTE de qué se trataba.

Era una HEBILLA DE CINTURÓN y vi que pertenecía a MECKLEY MINGO.

Eso significaba que Rowley y yo habíamos ido a parar a la mitad del CAMPAMENTO de los mingos.

La gente de mi pueblo siempre se ha preguntado dónde viven los mingos, y ahora Rowley y yo habíamos tropezado con su CUARTEL GENERAL.

Pensé que estábamos de SUERTE, porque no había ninguno por ALLÍ. Pero cuando me di la vuelta para MARCHARNOS, algo sujetó mi MANO.

Bueno, técnicamente algo sujetó al Señor Bocados. Pensé que SEGURAMENTE se trataba de Meckley Mingo, que iba a MATARME por haberle tocado la hebilla del cinturón.

Por suerte, me EQUIVOCABA. El muñeco se había enganchado en la manija, así que intenté soltarlo.

Entonces oímos ruidos procedentes del INTERIOR DEL CAMIÓN. Me di cuenta de que tenía que elegir entre salvarme A MÍ MISMO o rescatar a un MUÑECO. No fue difícil.

Rowley y yo salimos de allí como almas que lleva el diablo. Pero cuando ya teníamos el campamento de los mingos a un buen trecho, escuchamos un sonido que me heló la sangre.

ARUUUUUUUUUUUUUU

No sabía si se trataba del FAUNO o si era cosa de LOS MINGOS.

Lo único que sabía era que si dejábamos de CORRER podíamos darnos por MUERTOS.

Podía oír gritos detrás de nosotros, que se estaban ACERCANDO. Pero justo cuando parecía que las voces estaban ENCIMA de nosotros, salimos a terreno abierto.

Suerte que papá estaba ATENTO, o de lo contrario Rowley y yo habríamos muerto ATROPELLADOS.

Pero al menos habría sido un final RÁPIDO. Porque si los MINGOS nos llegan a atrapar, estoy seguro de que se hubiesen tomado su TIEMPO.

<u>Viernes</u>

Cuando desperté esta mañana, me encontraba
totalmente AGOTADO. Las piernas me parecían
de goma de tanto correr el día anterior, y además
apenas había descansado, porque tuve una pesadilla en
la que los mingos todavía me perseguían.

Iba a decirle a mamá que no me encontraba en
condiciones de ir a la escuela, pero cuando miré por
la ventana vi que no HACÍA falta.

Por la noche habían caído unos quince centímetros de nieve, y eso significaba que la escuela estaba CERRADA. Así que esperaba pasar un día agradable, muy relajado y sin hacer absolutamente NADA.

Mamá y papá ya se habían ido, y Manny estaba en la guardería. Rodrick suele dormir hasta la una de la tarde los días de nieve, así que podía decirse que tenía toda la casa solo PARA MÍ.

Bajé las escaleras para prepararme un plato de cereal y poner la tele. Pero había un problema con el CONTROL REMOTO, porque no funcionaba.

Lo noté un poco LIGERO, así que lo abrí por detrás para comprobar si le faltaba alguna pila.

Resultó que no tenía NINGUNA pila dentro. Sin embargo, había una nota de MAMÁ.

Para conseguir las pilas del control remoto, tendrás que llenar el lavavajillas.

Lo cierto era que no se me antojaba hacer tareas domésticas en un DÍA DE NIEVE, así que estuve buscando pilas por toda la casa para ponerlas en el control. Pero mamá debió haber ADIVINADO que haría eso, porque no había pilas de repuesto por NINGUNA parte.

CLIN
CLIN

No imaginaba cómo podría saber mamá si llenaba o no el lavavajillas, puesto que ni siquiera estaba en CASA. Pero el caso es que, cuando puse el último plato y cerré la puerta, encontré algo.

Era otra NOTA con una PILA pegada
a ella.

¡Felicidades!
¡Limpia las escaleras
y el baño para
conseguir tu próxima pila!

No me gustaba a dónde conducía eso. El control
remot de la tele lleva CUATRO pilas, y a ese paso
me iba a pasar todo el DÍA haciendo tareas.

Pero entonces me di cuenta de que no TENÍA por
qué hacerlo. El control del dormitorio de mamá y
papá es más pequeño, y estaba seguro de que sólo
tenía UNA pila.

Y resultó que tenía RAZÓN. Sabía que debía completar todas las tareas antes de que mamá y papá regresaran a casa, pero me imaginaba que disponía de tiempo de sobra, y merecía tener un rato para disfrutarlo yo solo. Así que me acomodé en su cama y encendí la televisión.

Por lo general, me siento un poco INCÓMODO en la cama de mamá y papá, pero hoy decidí hacer una excepción. SOBRE TODO cuando descubrí que una de sus mantas era la misma que nos había regalado la tía Dorothy en Navidad.

AHH...

Ver la tele en la cama era GENIAL, o al menos durante un RATO. Estuve muy a gusto durante las dos PRIMERAS horas, pero después empezó dolerme el cuello por estar tumbado en aquella posición.

Ya he decidido que, cuando tenga mi propia casa, fijaré la tele al TECHO para verla directamente ENCIMA de mí. Pero tendré que contratar a alguien que instale la tele y sepa lo que está HACIENDO, porque no quiero morir aplastado.

Creo que me quedé dormido un rato, porque sonó el teléfono y me sobresalté. Era MAMÁ, y supuse que estaba comprobando si había terminado mis tareas.

Pero me llamaba para decirme que no le daba tiempo de recoger a Manny en la guardería, así que la señora Drummond lo llevaría a CASA.

Eso significaba que yo tenía que hacer de NIÑERO, lo que me iba a fastidiar el resto del día.

Cuando la señorita Drummond llevó a Manny media hora más tarde, yo no sabía qué HACER con él. Lo llevé a la habitación de mamá y papá y le puse algunos dibujos animados, pero él me siguió escaleras abajo. Así que deduje que sólo quería estar CONMIGO.

Traté de recordar lo que Rodrick hacía conmigo cuando yo era pequeño. Pero todo lo que me vino a la cabeza fue una ocasión en la que me dio jugo de limón y me dijo que era un REFRESCO.

Entonces recordé un juego DIVERTIDO con el que
Rodrick y yo solíamos entretenernos. Fingíamos que el
suelo era LAVA volcánica ardiente, y teníamos que
EVITAR tocarla valiéndonos de los cojines del sofá.

Rodrick y yo nos pasábamos HORAS jugando a
eso. Pensé que si conseguía que Manny se interesara,
estaría distraído mientras yo completaba el resto
de las tareas. Pero cuando le expliqué a Manny cómo
FUNCIONABA el juego, se asustó mucho.

Ahora Manny no quería pisar el SUELO en ninguna parte de la casa. Y eso me complicó mucho las cosas.

Pero yo todavía tenía tareas que hacer, o de lo contrario me enfrentaría a un problemón cuando mamá y papá regresaran a casa. Y era IMPORTANTE despejar de nieve la entrada del auto con una pala.

Sabía que Manny se instalaría en el drama si lo abandonaba dentro con toda esa lava, así que lo equipé para la nieve, lo que no resultó fácil.

Supuse que Manny podría jugar en la terraza trasera mientras yo retiraba la nieve de la entrada del auto, y él estaría a salvo porque la terraza está enrejada.

La nieve del sendero estaba helada y era pesada, por lo que resultaba complicado hacer progresos. Después de media hora, decidí tomarme un descanso y remojar las manos en agua caliente.

Cuando entré, quise ver cómo le iba a Manny ahí atrás. Pero Manny se había IDO. Había construido una pequeña escalera de nieve para escapar.

Por suerte, no había ido muy LEJOS. Pero me di cuenta de que no podía dejarlo SOLO para nada.

Puse a Manny en el jardín delantero conmigo. Se estaba haciendo tarde, y papá se enfada DE VERDAD si la entrada del auto no está despejada cuando vuelve del trabajo.

Así que me apresuré todo lo que pude con la pala, y Manny también colaboró.

Pero había demasiada nieve y no quedaba TIEMPO. Ya iba a rendirme cuando unas niñas de otro barrio llegaron caminando y se ofrecieron a limpiar nuestro sendero por diez monedas.

Las chicas parecían muy JÓVENES, y no veía cómo podrían trabajar mejor que Manny y yo. Pero toda ayuda era bienvenida, de modo que quise darles una OPORTUNIDAD.

Tenía cinco monedas en el cajón de la mesita de noche, y tomé las otras cinco del enorme frasco de cambio que Manny tiene en su habitación. Pero al aceptar el trato con ellas no reparé en que tenían una máquina QUITANIEVES.

Así que aquellas chiquillas despejaron todo el sendero en sólo cinco minutos.

Me sentí estafado y les dije que les pagaría tres monedas en lugar de diez.

Pero supongo que no era la PRIMERA vez que alguien las amenazaba con no pagarles. Pusieron de nuevo toda la nieve en la entrada del coche y, de propina, añadieron la del jardín de enfrente.

Cuando mis PADRES volvieron a casa, las cosas estaban mucho peor que al EMPEZAR mi tarea.

Después de la cena, mamá y papá me estuvieron sermoneando casi hasta las ocho por no haber terminado mis tareas. Y entonces fue cuando Rodrick se levantó de la cama para comenzar su día.

<u>Sábado</u>
Suelo dormir los fines de semana, pero esta mañana
mamá tenía OTROS planes para mí.

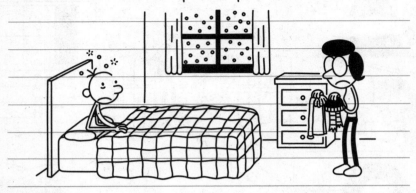

Dijo que yo iba a pasarme todo el día FUERA.
Le dije que saldría a la nieve después pasar un
rato con los videojuegos, pero ella me recordó lo de
los "Fines de Semana Sin Pantallas", y supe que no
iba a ceder.

Cuando era más joven, podía pasar HORAS jugando
en la nieve. Pero hoy en día, al cabo de diez minutos
ya estoy deseando meterme a casa.

Los adultos se comportan como si estar en la nieve
fuese lo más divertido del mundo. Pero lo cierto es que
nunca puedes verlos A ELLOS jugando ahí afuera.

Sólo puedo recordar una ocasión en la que papá salió a jugar con nosotros en la nieve. Pero AQUELLO se acabó en el mismo instante en el que Rodrick le echó nieve por detrás del CUELLO.

Mamá SIEMPRE nos hace salir, porque dice que necesitamos vitamina D, que supongo que es la que se obtiene del sol. Yo le respondo a mamá que puedo generar SUFICIENTE vitamina D solar con mis videojuegos, pero nunca se traga esa clase de razonamientos.

Cuando salí esta mañana, Manny ya estaba en el jardín delantero haciendo muñecos de nieve o COMO se llamen esos engendros.

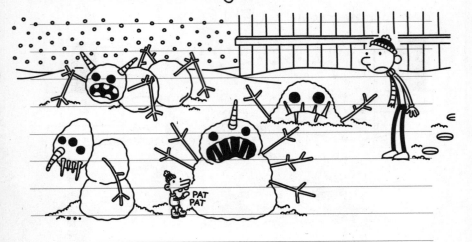

Nunca terminamos de barrer la pradera en otoño, así que Manny usó las hojas que no habíamos recogido para decorar sus muñecos de nieve.

Manny había agotado casi toda la nieve del jardín, y no me quedaba mucho que HACER ahí afuera. Decidí ir a casa de Rowley, lo que implicaba pasar por delante de la casa de FREGLEY. Y, por supuesto, él se encontraba en su jardín.

Si quería ir a casa de Rowley era porque su familia tiene suelos con calefacción. Así que en los días fríos trato de pasar en su casa el mayor tiempo POSIBLE.

Pero mamá debió IMAGINARSE que yo iría a casa de Rowley, porque llamó a sus padres y él estaba fuera cuando llegué allí.

Dado que ambos debíamos permanecer en el exterior, supuse que tendríamos que sacarle partido. Puesto que ya nos habíamos esforzado para subir la cuesta, le dije a Rowley que podríamos deslizarnos un poco en trineo.

El camión quitanieves suele venir a media mañana, así que sólo podíamos hacer unos pocos descensos buenos antes de que la calle estuviese despejada. Pero el tipo del quitanieves estaba de VACACIONES, y los chicos de lo alto de la colina le dijeron al conductor SUPLENTE que la calle Surrey estaba tres kilómetros más abajo. Y aquello nos proporcionó un tiempo extra.

No creo que sea buena idea tomarle el pelo a los suplentes, porque la broma SIEMPRE se vuelve en tu contra. El año pasado tuvimos un profesor suplente durante muchos meses para la clase de Matemáticas y, en su primer día, mis compañeros y yo nos cambiamos de sitio porque sabíamos que él se guiaría por el plano de asientos.

Debo decir que resultó muy divertido que nos llamara por los nombres equivocados todos los días. Pero cuando el chico que fingía ser YO comenzó a actuar como un TARADO total, el asunto perdió toda su gracia.

GREG HEFFLEY, ¡BAJA DE AHÍ AHORA MISMO!

Y cuando volvió la profesora TITULAR, el suplente le dio un informe negativo sobre el FALSO Greg Heffley, que acabó con un castigo de quince días para MÍ.

Rowley sólo tiene un trineo, pero hay espacio justo para dos personas. Nos apretamos encima y lo dirigimos colina abajo, pero con todo ese peso no conseguimos suficiente impulso.

Cuando llegamos cerca del final, nos detuvimos por completo. Pero aquello tal vez fuera una VENTAJA, porque a los chicos que completaron todo el descenso los atacó la gente de la parte baja de la calle Surrey por invador sus dominios.

Las cosas se podrían haber puesto mucho más feas, pero el conductor suplente del quitanieves averiguó dónde estaba la calle Surrey y puso fin a AQUELLA situación.

Imaginé que ya habíamos estado suficiente tiempo ahí afuera y tratamos de pasar al interior. Como mamá había cerrado la puerta, supuse que no estaba para bromas.

Como no podíamos seguir DESLIZÁNDONOS en trineo, teníamos que pensar QUÉ hacer. Así que Rowley y yo nos fuimos a un solar vacío que había más allá de mi casa, para decidir cuál sería nuestro SIGUIENTE paso.

Dado que teníamos que permanecer en el exterior, también debíamos pasar la MENOR cantidad de frío posible. En la escuela vimos una película sobre los habitantes del Ártico que construyen IGLÚS para sobrevivir a los climas fríos, y pensé que valía la pena intentarlo.

Fabricamos algunos ladrillos de nieve y los apilamos del mismo modo que la gente de la película. Al principio resultó difícil, pero luego le encontramos el TRUCO. La prioridad era conseguir la forma correcta de la cúpula para que no se DERRUMBARA.

Tuvimos mucho cuidado, y al final todo encajó. Pero cuando añadimos el último ladrillo, nos dimos cuenta de que nos habíamos olvidado de hacer la PUERTA.

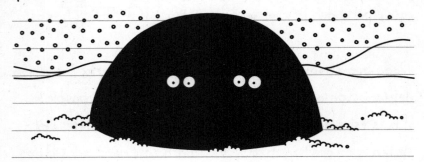

Rowley empezó a hiperventilar, y sabía que si no hacíamos ALGO consumiría todo el oxígeno que quedaba dentro. Así que rompí el techo y conseguí aspirar una gran bocanada de aire fresco.

Cuando asomé la cabeza por la parte superior, me convertí en un blanco fácil para algunos chicos del barrio que nos habían visto construir el iglú.

Después de que aquellos zopencos se quedaron sin bolas de nieve, intentaron trepar a lo alto del iglú. Pero no estaba hecho para soportar nada de peso y, en cuestión de segundos, la construcción entera se vino abajo.

Rowley y yo tuvimos suerte de poder arrastrarnos fuera de allí VIVOS. Una vez que conseguimos salir de los restos del iglú, decidí que ya era demasiada diversión para un solo día. Así que regresamos a casa, y esta vez mamá nos permitió PASAR.

Le conté a mamá lo que había sucedido en el descampado, y le dije que tenía que salir para regañar a esos chicos estúpidos.

Pero mamá dijo que aprender a manejar "situaciones conflictivas" forma parte de la fase de crecimiento, y que Rowley y yo teníamos que afrontar esa situación por nuestra PROPIA cuenta. No me gustó cómo sonaba ESO. Pensaba que el PROPÓSITO de tener padres es que alguien te ayude siempre que estás en problemas.

Papá estaba escuchando desde otra habitación, y tenía un enfoque MUY diferente. Dijo que los chicos del vecindario nos habían declarado la GUERRA a Rowley y a mí y que, si no les RESPONDÍAMOS, creerían que estaba BIEN atacarnos siempre que QUISIERAN.

Papá dijo que cuando ÉL era niño, su barrio se transformaba en un CAMPO DE BATALLA cuando nevaba. Los chicos, cada uno de un "clan" diferente, construían enormes fuertes y sostenían peleas épicas de bolas de nieve.

Papá dijo que cada clan tenía su propia BANDERA y que, cuando conseguías conquistar un fuerte, plantabas tu bandera para marcar tu territorio.

Bueno, Rowley pensó que NOSOTROS debíamos formar un clan. Le gustó mucho la idea de la BANDERA. A mí me pareció una TONTERÍA pero, bien mirado, confeccionar una bandera nos permitía pasar más tiempo en el INTERIOR, así que estuve de acuerdo.

Encontramos una vieja funda de almohada en el lavadero, y tomamos algunos rotuladores del cajón de tiliches de la cocina. Comenzamos por pensar un NOMBRE para nuestro clan.

Rowley dijo que quería que nosotros fuésemos los "Huffleplafs", pero yo contesté que, ya que estábamos en ésas, necesitábamos un nombre ORIGINAL.

Nos pasamos un rato de estira y afloja con el nombre, hasta que me di cuenta de que no nos íbamos a poner de acuerdo. Así que pasamos a hablar del siguiente asunto: cómo SERÍA nuestra bandera.

Rowley quería que nuestra divisa fuese un LOBO, pero yo quería algo todavía más feroz que ESO, algo que aterrorizara a los demás. Pensé que un hacha de combate ensangrentada sería lo ideal, pero por supuesto que Rowley no quiso CEDER.

Pero si juntas un hacha y un lobo te sale un lobo
muerto. Y eso no asusta a NADIE.

Nos disponíamos a hacer borrón y cuenta nueva, pero
cuando tomé otra funda de almohada, mamá nos dijo
que saliéramos. Así que nos enfundamos las ropas de
abrigo y nos dirigimos al descampado.

Los chicos que habían destrozado nuestro iglú estaban
ahora pendientes de otras cosas, y Rowley y yo
teníamos el solar para nosotros solos. Utilizamos los
ladrillos de nieve del iglú como punto de partida, y
construimos un fuerte capaz de contener un ataque.

Cuando terminamos, izamos nuestra bandera en lo alto del muro y AGUARDAMOS.

Supuse que nuestro fuerte podría llamar la atención, pero no esperaba que la llamase TANTO. A los diez minutos, ya había chicos atacándonos por todas PARTES.

Llevábamos las de PERDER y, cuando los chicos asaltaron nuestro fuerte, tuvimos que RETIRARNOS.

CHAP

CHUM

Al regresar a casa, le contamos a papá lo que había sucedido. Cuando le describimos cómo era nuestro fuerte, nos dijo que lo habíamos hecho todo MAL.

Dijo que teníamos que construir nuestro fuerte en una ELEVACIÓN, para hacer retroceder a los enemigos.

Entonces papá empezó a contarnos una historia larguísima sobre el papel de los castillos en la guerra y cómo se defendía la gente en la Edad Media.

Los artefactos de guerra que se construían entonces eran BRUTALES. He aquí un ejemplo: cuando los invasores trataban de escalar las murallas de un castillo, los del interior derramaban ACEITE hirviendo sobre ellos.

Ojalá las batallas en nuestro vecindario no lleguen a tanto. Pero, por si acaso lo HACEN, esta noche añadí un artículo a la lista de compras de mamá para el súper.

LISTA PARA EL SÚPER	
Huevos	Chícharos
Leche	Peras
Cátsup	Pilas
Pan	
Pepinillos	ACEITE

<u>Domingo</u>

Esta noche cayeron como treinta centímetros de nieve. La calle estaba totalmente CUBIERTA cuando me desperté. No podía distinguir dónde acababa el JARDÍN y dónde empezaba la CARRETERA.

Me sorprendía que el camión quitanieves no hubiera pasado aún, porque cuando cae SEMEJANTE cantidad de nieve, la gente ni siquiera puede sacar el auto del garaje. Pero cuando papá volvió de su paseo mañanero, me enteré de lo que había sucedido.

Papá dijo que el camión quitanieves había intentado subir la colina y se había quedado ATASCADO. Entonces los chicos del barrio le tendieron una emboscada al conductor, que salió corriendo y abandonó el camión en la calle.

CHAP
BUM

Eso significaba que podíamos montar en trineo todo el DÍA, si queríamos. Pero el trineo es cosa de NIÑOS, y yo tenía OTROS proyectos en mente.

Me pasé la noche viendo los libros de papá para documentarme sobre la guerra en los castillos y las estrategias bélicas. Y cuando llegó la mañana, ya me sentía PREPARADO.

BATALLAS
HISTORIA
EL ARTE DE LA GUERRA
CASTILLOS

Quería empezar a construir un fuerte con Rowley enseguida, pero sabía que nos ATACARÍAN en cuanto levantáramos los MUROS. La única manera de repeler el asalto era hacer acopio de MUNICIÓN.

Me imaginaba que podríamos comprarle a Mitchell Pickett una gran provisión de bolas de nieve prefabricadas, así que nos dirigimos a su cobertizo, que estaba abierto para la venta. Supongo que el invierno pasado las cosas le fueron muy bien a Mitchell, porque ESTE año había ampliado el negocio.

Tomé prestado de la alcancía de Manny dinero suficiente como para pagar tres docenas de bolas de nieve, pero ahora que contemplaba esa OTRA mercancía, tuve que hacer varias elecciones difíciles.

Las Blandas Especiales me parecieron bolas de nieve
normales, así que le pregunté a Mitchell por qué eran
cinco veces más caras. Dijo que eran bolas comunes con un
núcleo de nieve a MEDIO DERRETIR en su interior.
No sé cómo se las ingenió para CONSEGUIRLO.

NIEVE A
MEDIO
DERRETIR

NIEVE

Compramos dos docenas de bolas de nieve prefabricadas
y un lanzador de bolas, que podríamos usar para hacer
blanco sobre alguien desde mucha distancia.

Pero desearía haberme llevado toda la alcancía, porque
Mitchell había puesto a la venta una catapulta de
nieve que parecía REALMENTE mortífera.

Sin embargo, tendré que conseguir ese artículo en
otra ocasión. Cargamos nuestras adquisiciones en mi
trineo y fuimos al solar vacío.

Pero al acercarnos, nos quedamos IMPRESIONADOS
por lo que vimos. Ahora había por lo menos DIEZ
fortificaciones de nieve en el descampado, y cada una de
ellas tenía muchos chicos en su interior.

Los chicos habían copiado nuestra idea, incluso el
detalle de las BANDERAS. Las hermanas Marlee
tenían una lanza en su enseña, y Evelyn Trimble
tenía un murciélago en la suya. Y los gemelos Garza
tenían un ogro con dos cabezas, que me pareció genial.

También había distintivos muy SOSOS. El padre de Marcus Marconi poseía un negocio de bocadillos en el centro de la ciudad, pero lo había cerrado. Marcus empleó el cartel que colgaba en la entrada del establecimiento.

Quería acercarme para ver quién MÁS había hecho un fuerte, pero cuando nos aproximamos al descampado, Ernesto, Gabriel y OTROS chicos abrieron FUEGO sobre nosotros.

El solar estaba totalmente abarrotado, y supe que ya no había MODO de construir una fortificación de nieve en la parcela. Así que nuestra única posibilidad era conquistar ALGUNA.

Tomé unos viejos binoculares de mi garaje para observar el panorama del descampado sin tener que estar demasiado CERCA.

Eso sí, las cosas se habían DESCONTROLADO durante los cinco minutos en los que nos habíamos ausentado. Gabriel y Ernesto estaban en plena batalla con las hermanas Marlee, y un grupo de chicos escolarizados en sus casas atacaban a los gemelos Garza.

Emilia Greenwall y Evelyn Trimbe hacían equipo para combatir a Anthony Denard y Sheldon Reyes, y el Chichones y Latricia Hooks se fueron directamente a los PUÑETAZOS.

Pero no le presté demasiada atención a eso. Lo que yo buscaba era un fuerte que pareciera VULNERABLE, y conseguí LOCALIZAR uno. Los chicos del departamento doble habían construido una fortificación de aspecto sólido; pero, como de costumbre, no se llevaban bien.

Supuse que no tardarían en agotarse de tanto pelear y que, cuando eso SUCEDIERA, Rowley y yo podríamos APROVECHAR la ocasión. Así que nos acercamos un poco más y esperamos el momento adecuado.

Fue entonces cuando vi un fuerte en cuyo INTERIOR no había nadie. La solitaria fortaleza estaba en lo alto de un gran montículo de nieve. Recordé lo que había dicho papá acerca de un terreno ELEVADO, y esa fortificación estaba en el sitio PERFECTO.

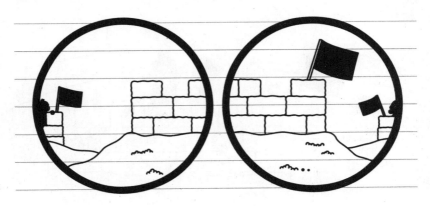

No me podía imaginar por qué alguien querría construir un fuerte y luego ABANDONARLO, pero supe que teníamos una oportunidad dorada. Así que nos acercamos en silencio por detrás y escalamos el muro posterior.

Sin embargo, resultó que el fuerte NO ESTABA vacío. Pertenecía a BABY GIBSON, quien estaba dentro rodeado de un enorme montón de bolas de nieve.

Pero en el instante en que pusimos un pie en el fuerte, éste fue ATACADO.

Los chicos escolarizados en casa también debían conocer las ventajas del terreno alto, y ahora querían aquel fuerte para ELLOS. Pero cuando intentaron subir por el montículo, los rechazamos. Incluso Baby Gibson participó en la defensa.

Entonces los chicos empezaron a atacarnos desde diferentes direcciones, y se hizo más y más complicado defender el fuerte.

LUEGO los chicos del departamento doble se dividieron en dos grupos, y nos atacaron por el flanco izquierdo y por el derecho, mientras Ernesto y Gabriel se valían de lanzadores para dispararnos desde SU fuerte.

Y mientras intentábamos hacer frente a todo ESO, un niñito del grupo de la señorita Jiménez se coló por el suelo de nuestro fuerte a través de un túnel y nos tomó TOTALMENTE desprevenidos.

Lo siguiente que supimos fue que los NIÑOS habían invadido nuestro fuerte. Y, como broche de oro, las hermanas Marlee nos atacaron a traición por la retaguardia, lo cual era terrible porque estas chicas se van a los OJOS.

A Rowley y a mí nos expulsaron del fuerte. Nos vimos obligados a combatir a campo abierto, donde reinaba un CAOS total. Todos se peleaban los UNOS con los OTROS, y el orden brillaba por su AUSENCIA.

Entonces sucedió algo que nos hizo PARAR a todos. Joe O'Rourke había recibido un impacto en la boca con una bola de nieve helada, y había perdido un par de DIENTES.

En nuestro barrio las bolas de hielo están en la lista de cosas "prohibidas" durante las batallas de bolas de nieve. Así que cuando alguien cruzaba esa línea roja, todos sabían que las cosas habían ido demasiado lejos.

Representantes de todos los clanes celebraron un encuentro en el centro del descampado para establecer las REGLAS.

Todos estaban de acuerdo en que no se permitían las bolas de hielo, ni tampoco la nieve sucia de pis. También elaboramos un MONTÓN de reglas, como no llenar de nieve el gorro de alguien y luego ponérselo en la cabeza.

Una vez acordadas todas las normas, nos dispusimos a reanudar la batalla.

Pero mientras estábamos entretenidos con todas esas NEGOCIACIONES, no nos dimos cuenta de lo que sucedía DETRÁS de nosotros.

Los chicos de la parte baja de la calle Surrey habían alcanzado a hurtadillas la cima de la colina y, para entonces, ya no podíamos hacer nada para DETENERLOS.

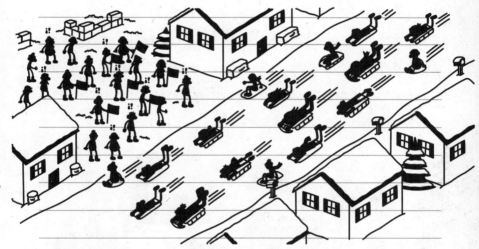

Ahora bien, si hay ALGO capaz de unirnos a los chicos de la cuesta son los chicos del pie de la colina tratando de apropiarse de lo que es NUESTRO. No tenemos gran cosa, pero tenemos la COLINA, y nadie va a arrebatárnosla.

En cuanto se atascó el camión quitanieves, supimos que esos tipos iban a VENIR.

Así que decidimos HACER algo al respecto.

La única forma de impedir que los chicos de la parte baja de la calle Surrey volvieran a invadir la colina era construir un MURO para bloquearles el paso. No queríamos construir un muro endeble que pudieran derribar con facilidad. Necesitábamos algo SÓLIDO.

Pero teníamos que hacerlo DEPRISA, porque esos chicos ya se dirigían otra vez a la colina con sus trineos. Así que tomamos unos botes de reciclaje de algunas casas cercanas y nos pusimos manos a la OBRA.

CATAPLOF

Hicimos un muralla DOBLE. Si alguien conseguía traspasar la primera capa, aún tendría que afrontar la SEGUNDA. Y amontonamos una TONELADA de bolas de nieve.

No podíamos conseguir aceite hirviendo, así que Rowley y yo subimos a su casa para llenar varios termos con chocolate caliente.

Los chicos escolarizados en sus casas salieron y recogieron carámbanos de hielo para clavarlos en el muro, y los chicos del departamento doble improvisaron algunos muñecos de nieve para que pareciera que nuestro número era muy SUPERIOR al real.

Y cuando los chicos de la parte baja de la calle Surrey volvieron, allí estábamos, PREPARADOS, esperándolos.

Cuando vieron nuestro MURO, no supieron qué hacer.

Y cuando se PUSIERON a tiro, les arrojamos con todo lo que teníamos a mano.

No les dimos la menor OPORTUNIDAD. Los hicimos retroceder colina abajo y pudimos celebrar nuestra victoria.

Pero nos PRECIPITAMOS. Al cabo de diez minutos, los chicos de la parte baja de la calle Surrey estaban de vuelta.

Y esta vez venían armados hasta los DIENTES.

La mayoría llevaba protecciones deportivas para defenderse de nuestras bolas de nieve. En el instante en que uno de ellos nos lanzó un PALO DE HOCKEY, supe que esta contienda no iba a ser fácil.

Pero NOSOTROS estábamos en el MURO y teníamos ventaja posicional, porque estábamos más elevados.

Así que les arrojamos una andanada de bolas de nieve.

Logramos contenerlos durante un rato, pero aquellos chicos se habían guardado algunas sorpresas. Nos bombardearon con una tanda de bolas Blandas Especiales, para lo cual no estábamos preparados EN ABSOLUTO.

Si los chicos de la parte baja de la calle Surrey disponían de Blandas Especiales, eso quería decir que Mitchell Pickett estaba jugando en dos BANDOS.

Pero ya nos veríamos las caras con él MÁS TARDE, porque ahora teníamos un NUEVO problema.

Resulta que las Blandas Especiales sólo eran una distracción para que no nos fijáramos en su SIGUIENTE oleada de ataques, que se acercaba MUY DEPRISA.

Alcanzamos con bolas de nieve a los chicos que llevaban escaleras, pero antes de que nos diésemos cuenta, ya habían dispuesto sus escaleras al pie del muro y habían empezado a SUBIR.

Pero, justo a tiempo, Rowley regresó con el chocolate caliente.

Vaciamos los termos sobre los chicos que estaban escalando el muro. Por desgracia, Rowley no le había añadido AGUA caliente al chocolate en polvo, así que apenas conseguimos INCOMODARLOS un poco.

Ya pensaba que esos tipos estaban a punto de hacerse con el control del muro, pero entonces Latricia Hooks y el Chichones salvaron la situación al verter sobre ellos unos cubos de basura llenos de nieve A MEDIO DERRETIR.

No obstante, no tuvimos ni un segundo para celebrarlo, porque los chicos de la parte baja de la calle Surrey ya estaban lanzando su siguiente ataque.

La mitad del equipo de futbol americano de quinto año vive al pie de la colina. Trataron de derribar el muro recurriendo a la FUERZA bruta.

Pero el muro RESISTIÓ y aquellos muchachos se agotaron con el esfuerzo.

Lo cierto es que ahora TODO EL MUNDO estaba cansado. Había salido el sol y estaba empezando a hacer CALOR. Deseé sinceramente no llevar puesta mi ropa interior térmica, porque me estaba ASANDO con todas esas capas extra de ropa.

Los chicos de la parte baja de la calle Surrey
nos siguieron atacando, y nosotros los seguimos
RECHAZANDO. Al cabo de un rato, NADIE
tenía energías para continuar con la lucha.

Por fin, el otro bando se dio la vuelta y emprendió
el regreso a casa. Al principio pensamos que aquello
significaba que habíamos VENCIDO. Pero esos tipos
no se habían rendido. Tan sólo iban a RECARGAR.

Ya era hora de almorzar, y los chicos de la parte baja de
la calle Surrey salieron de casa con bocadillos y tentempiés.

Y cuando vimos a un chico que empezaba a repartir
JUGOS, sentimos envidia.

Todos los del muro estábamos muy sedientos, y el CALOR apenas había empezado a apretar.

Algunos chicos comenzaron a chupar BOLAS DE NIEVE para aplacar su sed, y gastaron la mitad de nuestras reservas antes de que nos diéramos cuenta de lo que estaba sucediendo.

Hicimos inventario de lo que nos quedaba, y supimos que no teníamos suficiente munición para rechazar un ataque a gran escala. Así que dividimos en tres montones el resto de las bolas de nieve y encargamos a Anthony Denard su vigilancia.

Seguimos esperando el siguiente ataque de los chicos de la parte baja de la calle Surrey, pero éste no se produjo.

Al cabo de un rato, entendimos que su estrategia consistía en aguardar a que nos rindiéramos por AGOTAMIENTO y entonces apoderarse del muro sin necesidad de luchar.

Pervis Getry fue el primero que cayó. Ni siquiera había DESAYUNADO en la mañana, así que la visión de las orillas de sándwich le hizo PERDER la cabeza.

Se bajó del muro y echó a correr colina abajo, y aquella fue la última vez que lo vimos.

Pero TODOS los demás, los muchachos de la colina, nos mantuvimos unidos. Pasaron tres HORAS sin que los tipos de la parte baja DIERAN señales de vida.

De hecho, parecía que se estaban instalando para pasar toda la TARDE.

Algunos de ellos sacaron extensiones de sus casas, así que ahora tenían ELECTRICIDAD. Y desde nuestra posición podíamos divisar el brillo de sus pantallas de televisión.

En el muro, las cosas iban de mal en peor. Muchos de los niños más pequeños estaban cansados y hambrientos, y querían irse a CASA. No podía culparlos, porque se acercaba la hora de la cena.

Jacob Hoff dijo que se suponía que tenía una clase de clarinete a las seis en punto, y sus padres se enfadarían si se la perdía. Todos fuimos comprensivos con su situación.

La casa de Jacob se ubicaba sólo unas puertas más abajo, y le dijimos que saliera corriendo mientras nosotros lo CUBRÍAMOS. Nos prometió que, en cuanto terminara la clase de clarinete, volvería al muro con los bolsillos del abrigo repletos de barritas de granola y de frutos secos.

Eso hizo que todo el mundo se entusiasmara, y ayudamos a Jacob desde lo alto del muro. Seguramente, tan pronto tocara el suelo por el otro lado, los chicos de la parte baja de la calle Surrey abrirían fuego contra él. Pero nosotros RESPONDIMOS, de modo que Jacob alcanzó su puerta sin novedad.

Pero resultó que el esfuerzo había sido en vano. Lo de la clase de clarinete era una excusa para irse a su casa. Cuando vimos a Jacob en la ventana de su habitación, supimos que no pensaba regresar con toda esa COMIDA.

Después de aquello, cundió el DESALIENTO sobre la moral del muro. Algunos niños estaban llorando, y yo no sabía cuánto tiempo más conseguiríamos resistir.

Los chicos de la parte baja de la calle Surrey debían saber que nos tenían, porque entonces empezaron a tirar avioncitos de papel sobre nuestro fuerte con un MENSAJE escrito en ellos.

RÍNDANSE AHORA
Y PODRÁN SALIR
SIN DAÑOS

Aquello fue demasiado para algunos chicos. Incluso Baby Gibson parecía conmocionado, y entonces deduje que sabía LEER.

Al cabo de unos minutos apareció un chico corriendo hacia nosotros entre las dos casas situadas a la derecha de nuestro fuerte, y nos preparamos para detenerlo con un bombardeo de bolas de nieve.

Pero alguien lo RECONOCIÓ y nos contuvimos. Se trataba de TREVOR NIX, antiguo vecino de la cuesta.

Trevor estaba sin aliento y apenas podía hablar. Así que lo ayudamos a subir al muro y esperamos a que se recuperara.

Después de que Trevor se recompuso, nos pudo contar lo que había sucedido. Dijo que los chicos de la parte baja de la calle Surrey lo habían APRISIONADO, pero que él se las había ingeniado para ESCAPAR.

Trevor dijo que esos tipos planeaban algo realmente MALVADO y quería avisarnos antes de que fuera demasiado TARDE.

Dijo que los chicos de la parte baja de la calle Surrey estaban acumulando un INMENSO montón de bolas de nieve y que, cuando oscureciera, iban a lanzar un ataque a gran escala. Pero eso no era lo PEOR.

Aquellos chicos estaban haciendo sus bolas de nieve en el jardín de los GUZMÁN, que es donde viven todos esos PERROS. Así que eso significaba que emplearían NIEVE CON PIS y quién sabe qué MÁS.

Todo estábamos muy indignados con los planes de los chicos de la parte baja de la calle Surrey, pero nos alegraba que Trevor nos hubiera puesto en guardia. Le dijimos que podría deslizarse en trineo en nuestra colina siempre que QUISIERA.

Estuvimos de acuerdo en que no debíamos cruzarnos de brazos ante aquel ataque, así que elaboramos un PLAN. La mitad de nosotros se desplazaría colina abajo, y lanzaría un ataque SORPRESA sobre los chicos que estaban fabricando las bolas de nieve en el jardín de los Guzmán. La OTRA mitad se quedaría en retaguardia para proteger el fuerte. Trazamos un boceto del plan sobre la nieve con un palo, para asegurarnos de unificar criterios.

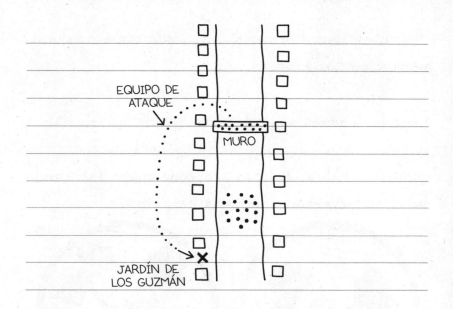

EQUIPO DE
ATAQUE

MURO

JARDÍN DE
LOS GUZMÁN

Rowley y yo quisimos participar en la ACCIÓN, así que elegimos sumarnos al comando de ataque silencioso. Nuestro grupo cargó unos trineos con las bolas de nieve que nos quedaban y nos escabullimos por detrás del muro entre las casas.

Ahora estaba oscureciendo, de modo que esos chicos no nos verían venir.

Cuando llegamos al jardín trasero de los Guzmán, nos detuvimos para observar el panorama. Por supuesto, había un gran grupo de chicos fabricando bolas de nieve tras una tapia de piedra.

Entonces Baby Gibson dio la señal, y nos lanzamos al ataque.

Pero los otros chicos ni siquiera se INMUTARON cuando los alcanzamos con las bolas. Al acercarnos, nos dimos cuenta de que todo había sido una TRETA.

Los chicos de la parte baja de la calle Surrey habían fabricado SEÑUELOS para dividir nuestras fuerzas, lo cual quería decir que TREVOR NIX nos había traicionado. Retrocedimos hacia el muro, pero ya era demasiado TARDE.

El muro estaba en RUINAS, y carecíamos de munición. La situación era desesperada para los chicos de la colina, pero entonces sucedió algo que nos infundió ciertas ESPERANZAS.

Un grupo de chicas subía la cuesta. Cuando se acercaron más, vi que se trataba de las PATRULLERAS DE SEGURIDAD. Pensé que habían acudido a SALVARNOS.

Pero ellas no estaban allí para ayudar a NADIE. Sólo habían venido en busca de VENGANZA.

Por lo general, las Patrullas de Seguridad no tienen permitido arrojar bolas de nieve, pero hoy era DOMINGO. Y eso significaba que eran libres para hacer todo lo que QUISIERAN.

La mitad de las chicas de las Patrullas de Seguridad están en el equipo de SOFTBALL y quien diga que las chicas no pueden lanzar una bola con fuerza no sabe de lo que está HABLANDO.

Se entabló una batalla entre todos los chicos de la calle Surrey y las patrulleras de Seguridad. Las doblábamos en número. Pero entonces, la mitad de las chicas de nuestro barrio se cambió de BANDO, y todo se volvió más confuso.

Para complicar más las cosas, apareció OTRO grupo que bajaba desde lo ALTO de la colina. Eran los chicos de la CALLE WHIRLEY, que habían sido expulsados del campo de golf y venían para montar en trineo en nuestra cuesta. Y cuando ELLOS se sumaron a la pelea, aquello fue el CAOS TOTAL. Todos luchábamos contra todos.

Y cuando parecía que las cosas no podían estar más DESQUICIADAS, un escalofriante sonido surcó el aire, y todo el mundo se detuvo para adivinar de QUÉ se trataba. Los únicos de toda la calle que lo reconocimos a ciencia CIERTA éramos Rowley y yo.

Entonces surgieron los muchachos de los MINGO de entre los bosques, y parecía como si se acabaran de despertar de una SIESTA de tres meses.

El último mingo en aparecer fue MECKLEY. Llevaba un objeto en lo alto de un BASTÓN. Al principio, no pude distinguir de qué se trataba. Pero cuando se ACERCÓ más, me di cuenta de que era EL SEÑOR BOCADOS.

Meckley no llevaba su CINTURÓN, lo cual me resultó extraño. Pero eso me hizo recordar una cosa, y metí la mano en el bolsillo del abrigo y saqué algo frío y metálico.

Cuando Rowley y yo estábamos en el campamento de
los mingos, debí haber puesto la hebilla en mi bolsillo sin
DARME CUENTA. Y ahora estaba aterrorizado,
porque eso significaba que Meckley Mingo venía por MÍ.

Pero la única cosa que estaba por encima de la rivalidad
ENTRE los chicos de mi pueblo era su enemistad con
los MINGOS. Así que cuando los mingos atacaron,
todo el mundo les hizo FRENTE.

Bueno, todo el mundo excepto YO. A esas alturas,
ya había tenido BASTANTE.

Cuando los mingos se abalanzaron sobre nosotros, busqué
un buen escondite para OCULTARME.

Había un hermoso agujero en un sector destrozado del muro, así que me tiré dentro. Y Rowley vino detrás de mí. La batalla arreció a nuestro alrededor, y no imaginaba cómo saldríamos VIVOS de aquella.

Rowley tampoco pensaba que pudiéramos conseguirlo. Me dijo que si yo SOBREVIVÍA y él NO, podría heredar todos sus videojuegos.

Me palpé para comprobar si tenía un bolígrafo para que él pudiera ponerlo por ESCRITO, pero todo lo que llevaba encima era aquella estúpida hebilla de cinturón.

De todas maneras, aquello carecía de importancia, porque cinco segundos después el suelo empezó a temblar, y creí que se trataba de un TERREMOTO.

Pensé que nos iban a sepultar VIVOS, y sólo era capaz de imaginarnos a los dos expuestos en un MUSEO, después de que nos exhumaran dentro de dos mil años.

Entonces el suelo dejó de temblar, y al cabo de unos segundos asomamos la cabeza de nuestro escondite para ver qué había ocurrido.

El camión quitanieves había subido tres cuartas partes de la cuesta, arrasándolo todo a su paso. Y no sabía si su conductor no podía VER a los chicos, o éstos lo tenían sin CUIDADO.

ESPLÁS

La nieve ya se estaba derritiendo, y todo se volvía AGUANIEVE. Una vez que el quitanieves se hubo marchado, nuestra calle se quedó en SILENCIO.

Lo más demencial era que, ahora que la calle estaba despejada, en realidad no quedaban razones para seguir LUCHANDO, y todo el mundo comenzó a volver a sus CASAS. Incluso los mingos volvieron al lugar del que habían venido.

Y la verdad es que no podía recordar por qué había EMPEZADO la pelea.

<u>Viernes</u>

Hace una semana que volvimos a la escuela, y la temperatura ha subido MUCHO en los últimos días. No quisiera ser un aguafiestas ni nada por el estilo, pero creo que ya hemos visto pasar los últimos coletazos del invierno.

Así que ya no me preocupa el CERDITO para nada. Estoy seguro de que está en algún sitio más cálido pasándosela en grande.

Todavía quedan algunos restos de nieve en el suelo de mi vecindario, de modo que Mitchell Pickett ha podido disfrutar con la moto de nieve que se compró con todo el dinero que ganó este invierno.

Así que cualquiera que afirme que la guerra no PAGA, debería pensárselo MEJOR.

No obstante, Mitchell no fue el ÚNICO en beneficiarse. Todos los días después de la escuela, Trevor Nix ha estado jugando al hockey al pie de la colina con los chicos de la parte baja de la calle Surrey. Así que supongo que ése es el precio de ser un TRAIDOR.

Pero no voy a quejarme para nada. Estoy muy satisfecho por haber superado el invierno sin que me MATARAN.

Lo que he aprendido sobre mí mismo es que no pertenezco a la categoría de los HÉROES. Créanme, me alegra que exista gente así por ahí, pero el mundo también necesita chicos como YO.

Porque si los seres humanos pueden durar todavía quinientos millones de años, va a ser gracias a todos los Greg Heffleys del mundo, quienes encontraron la manera de SOBREVIVIR.

AGRADECIMIENTOS

Gracias a todos los de Abrams, especialmente a Charlie Kochman, que hace que cada libro sea mejor que el anterior. Un millón de gracias a Michael Jacobs, Andrew Smith, Chad W. Beckerman, Liz Fithian, Hallie Patterson, Steve Tager, Melanie Chang, Mary O'Mara, Alison Gervais y Elisa Garcia. Gracias también a Susan Van Metre y Steve Roman.

Gracias al gran equipo de Wimpy Kid: Shaelyn Germain, Anna Cesary, y Vanessa Jedrej. Gracias a Deb Sundin y al personal de An Unlikely Story.

Gracias a Rich Carr y Andrea Lucey, por su apoyo y amistad. Gracias a Paul Sennott por toda tu ayuda. Gracias a Sylvie Rabineau y Keith Fleer, por todo lo que hacen por mí.

Gracias a Jess Brallier por tu orientación y por iniciarme como autor.

SOBRE EL AUTOR

Jeff Kinney es autor de libros best sellers y ha ganado en seis ocasiones el Premio Nickelodeon Kid's Choice al Libro Favorito. Jeff está considerado una de las cien personas más influyentes del mundo, según la revista *Time*. Es también el creador de Poptrópica, que es una de las cincuenta mejores páginas web, según *Time*. Pasó su infancia en Washington, D. C. y se mudó a Nueva Inglaterra en 1995. Hoy, Jeff vive con su esposa y sus dos hijos en Massachusetts, donde son propietarios de una librería, An Unlikely Story.